RÉPONSES

Collection dirigée par Joëlle de Gravelaine

GYSA JAOUI

LE TRIPLE MOI

ÉDITIONS ROBERT LAFFONT
PARIS

ISBN 2-221-00197-4

A Laurent
et à Agnès

INTRODUCTION

Éric Berne, l'Amérique et l'A.T.

A longueur de journée, à longueur de vie on a des échanges avec les autres et avec soi-même. Un regard ; un sourire ; « Je t'aime », « Je te déteste », des cris, des reproches : « A quelle heure part le prochain train pour Sarcelles ? » « Quand le réparateur doit-il venir ? » « C'est mal », « Bravo » ; des coups de téléphone, un signe de tête au voisin croisé dans l'escalier, des reproches que l'on se fait à soi-même ; des incitations à mieux se débrouiller ; des baisers et des caresses échangés ; des coups donnés et reçus. Notre vie est tissée de ces échanges continuels. On distribue aux autres du temps, de l'énergie, des informations, des compliments et des critiques et on en reçoit en retour. On établit avec eux et dans un dialogue interne des transactions continuelles.

Comme son nom l'indique, l'Analyse Transactionnelle a pour objet d'analyser ces échanges — ou transactions — qui sont notre pain psychologique quotidien pour mieux comprendre les gens, pour les aider à reconnaître leurs problèmes et à les résoudre.

C'est à la fin des années 50, qu'un médecin psychiatre américain, né à Montréal, Éric Berne, découvre et met au point l'Analyse Transactionnelle (ou A.T.). Sous ce nom un peu barbare se cachaient une théorie et une pratique qui devaient bouleverser le cadre de référence de nombre de professionnels de la psychologie humaine, changer la façon de considérer les échanges sociaux, offrir un éclairage tout à fait suggestif sur la structure de la personnalité, révéler les ressorts secrets du comportement humain. Et qui, surtout, allaient permettre à des dizaines de milliers de personnes de mieux se comprendre elles-mêmes et de mieux comprendre les autres. La simplicité et la clarté de cet instrument le mettait à la portée de tout un chacun, quel que fût son niveau social et intellectuel.

Grâce à trois ou quatre ouvrages [1] tirés à plusieurs centaines de milliers d'exemplaires, sous un langage simple, voire familier, à l'aide de concepts clairement définis et recouvrant des réalités immédiatement identifiables, chacun découvrait des clés pour résoudre une partie de l'énigme que représentaient pour lui son propre comportement et celui de ses partenaires.

Certes, l'A.T. n'est pas qu'un modèle explicatif de la personnalité et des relations humaines. C'est aussi un instrument thérapeutique puissant et efficace. Mais, à travers les ouvrages qui lui ont fait connaître cette théorie, le public y a d'abord vu un miroir fidèle, qui éclaire, sans les dramatiser, les dessous mal connus de la psychologie humaine.

Le destin de l'A.T. est, d'une certaine manière, assez exceptionnel. En général, les théories psychologiques naissent dans le secret des cabinets, se développent à travers des communications savantes, font l'objet d'échanges et de mises au point dans le cénacle fermé des chercheurs spécialisés, usent d'un langage ésotérique réservé à des initiés,

1. *Games people play* – « Des jeux et des hommes », Éric Berne, Éd. Stock.

I'm OK You're OK – « D'accord avec soi et avec les autres », Th. H. Harris, Ed. EPI.

Born To win – « Naître gagnant », D. Jongeward, M. James, Intereditions.

puis, au terme d'un lent processus de maturation, élargissent leur audience jusqu'à atteindre, parfois, le grand public sous une forme vulgarisée. L'A.T., quant à elle, conçue par un seul homme entouré d'une poignée de collaborateurs, est tout de suite « descendue dans la rue » avant que les psychologues et psychiatres professionnels ne se la réapproprient.

Éric Berne, lui-même psychiatre, poursuivait depuis quinze ans une formation tout à fait orthodoxe en vue d'obtenir le titre officiel de psychanalyste [2]. Il collaborait par des articles savants à des revues non moins savantes, bref, il offrait le profil type du professionnel sérieux de la chose psychiatrique.

Cependant, en tant que thérapeute, une de ses grandes préoccupations était de faire de ses patients des partenaires actifs de leur propre évolution, de leur donner les moyens de contrôler et d'apprécier le processus dans lequel ils étaient engagés, de mettre la « psychanalyse et la psychiatrie à la portée de tous [3] ».

L'A.T. est née de cette préoccupation de Berne. Il a mis au point sa théorie avec l'aide de ses patients, en s'appuyant sur son expérience professionnelle quotidienne [4].

Le concept de base de l'Analyse Transactionnelle qu'il a défini à partir de son observation clinique est celui des états du moi.

Il met en lumière l'existence en chaque individu de trois composantes ; la composante Parent [5] : l'état du moi dans

2. Titre qu'il n'obtiendra d'ailleurs jamais. Il se sépare en bons termes de l'Institut de Psychanalyse de San Francisco en 1956. Il s'oppose de plus en plus sur le plan de la pratique professionnelle à un certain nombre de principes de la psychanalyse, bien qu'il n'en ait jamais contesté directement les fondements théoriques.

3. Suivant le titre de son premier ouvrage, Ed. Payot.

4. Pour un historique détaillé de l'évolution de la démarche de Berne, voir le livre de Th. H. Harris, *D'accord avec soi et avec les autres* (ouvrage cité).

5. Avec une majuscule quand il s'agit d'états du moi, une minuscule quand il s'agit du parent, de l'adulte, et de l'enfant au sens courant.

lequel sont enregistrés les messages que nos parents (ou ceux qui nous ont servi de parents) nous ont transmis de la vie. L'état sur lequel nous sommes branchés quand nous prenons en charge les autres pour les critiquer, les protéger ou les réconforter ou lorsque nous nous adressons à nous-mêmes reproches ou consolations.

La composante Adulte [5] : l'état du moi chargé du traitement de l'information, le plus adapté quand il s'agit de raisonner, de déduire, d'organiser, de prévoir, de tirer les conclusions objectives de données de fait, celui qu'on appelle parfois l'ordinateur.

La composante Enfant [6] : l'état du moi où sont enregistrées nos réactions affectives aux choses et aux gens, où résident la joie et la tristesse, la soumission et la révolte, la spontanéité créatrice et le goût de la destruction. C'est lui qui se manifeste dans les pleurs, les rires, les trépignements de joie ou de colère, la rébellion et l'obéissance.

Cette grille des états du moi permet d'analyser d'une façon nouvelle les transactions qui s'échangent. Lequel des trois personnages qui cohabitent en nous s'exprime quand nous nous adressons aux autres : le Parent, l'Adulte ou l'Enfant ? Et qui nous répond ?

Les autres concepts élaborés par Berne et ses collaborateurs apportent chacun leur éclairage propre sur la structure du P.A.E. [6] interne des individus et sur celle des échanges qu'ils établissent entre eux.

La notion de signes de reconnaissance (ou caresses) nous renseigne sur ce que distribue, reçoit et recherche surtout chacun de nous dans ces échanges : des félicitations, des compliments, des caresses positives, ou des reproches, des critiques, des gifles ?

L'analyse de la façon dont nous structurons notre temps nous permet de comprendre comment nous l'utilisons pour avoir plutôt tel ou tel type d'échanges.

5. Avec une majuscule quand il s'agit d'états du moi, une minuscule quand il s'agit du parent, de l'adulte, et de l'enfant au sens courant.
6. Abréviation des états du moi « Parent, Adulte, Enfant. »

La grille des « jeux » psychologiques définit et classe les modèles répétitifs de comportement et de relation que nous adoptons pour finir par donner ou recevoir des caresses négatives (le but caché visé dans ces jeux).

Celle des positions de vie met en évidence les différentes positions (supérieure, inférieure ou égale) que nous affirmons face à nos interlocuteurs dans ces échanges.

Enfin la notion de scénario révèle la façon dont nous utilisons nos transactions pour faire avancer le « plan de vie » que nous nous sommes fixé à un âge très précoce.

Toutes ces grilles d'analyse et de changement forment l'essentiel de la panoplie d'outils qu'Éric Berne a mis à la disposition de ses patients et de ses lecteurs pour qu'ils maîtrisent mieux leur vie, élucident leurs problèmes et se sentent plus en accord avec eux-mêmes et avec le monde. Le succès de son livre *Games people play* dépassa ses espérances. Je dis dépassa, car, à ses débuts, l'A.T. toucha surtout le grand public.

Or, Éric Berne tenait aussi à être reconnu par ses pairs. Son premier livre directement centré sur l'A.T. [7] était destiné d'abord à des professionnels. Il ne rencontra quasiment aucun écho auprès de ses confrères. Et le livre qui suivit, *Des jeux et des hommes*, les laissa sceptiques. Les psychanalystes et les psychiatres américains étaient perplexes, sinon méprisants, devant la théorie de Berne, c'était trop simple, voire simpliste, ce n'était pas assez savant, cela ne faisait pas sérieux, le langage utilisé était trop familier. Et, au début, les psychologues d'obédiences diverses n'étaient pas prêts à avaler tout cru le credo de l'A.T.

Mais le public, lui, ne s'y est pas trompé. Il a été le premier à l'adopter, devançant la plupart des praticiens et théoriciens de la psychologie humaine. Il lui a fait, au travers des livres publiés, un succès considérable qui ne s'est

7. *Transactional Analysis in Psychotherapy* – L'Analyse Transactionnelle en psychothérapie, Ed. Payot.

toujours pas démenti. Cet engouement aurait pu être pour l'A.T. le plus grand danger. Elle aurait pu sombrer dans la « consommation » à l'américaine, être mise à toutes les sauces, devenir une série de trucs et de recettes. Le danger, s'il est toujours présent, a jusqu'à aujourd'hui pu être évité, en grande partie grâce à la personnalité même d'Éric Berne. Si celui-ci n'a pas renié son succès auprès du grand public, il ne s'en est, en effet, pas contenté. Il avait personnellement un culte pour la recherche, la réflexion, l'écriture. Il voulait aussi prouver à ses pairs qu'il n'était pas seulement un auteur de best-sellers. C'est pourquoi il a poursuivi ses travaux dans le domaine de l'A.T., s'entourant de toutes les garanties possibles et y intégrant des chercheurs, des psychiatres, des psychologues de plus en plus nombreux qui dépassaient leurs résistances premières pour explorer de plus près le contenu de cette fameuse théorie. Bientôt il créait l'Association Internationale d'Analyse Transactionnelle [8], qui aujourd'hui rassemble plusieurs milliers de professionnels de la personnalité et des relations humaines. Cette association édite depuis 1964 une revue, le *Transactional Analysis Journal* [9], d'un très haut niveau théorique et pratique. Elle offre un cursus de formation à la pratique de l'A.T. extrêmement rigoureux. Elle organise des congrès où les échanges et les communications sont très riches. Éric Berne est mort en 1970 ; depuis, les recherches sur l'A.T. ne se sont pas interrompues, bien au contraire. Ainsi, tandis que son succès populaire continuait, l'A.T. a vu son audience auprès des professionnels et des chercheurs s'accroître et se développer. C'est en ce sens que j'employais le terme d'exceptionnel pour caractériser le destin américain de l'Analyse Transactionnelle. C'est l'intérêt du grand public, d'abord très largement touché, qui a

8. L'I.T.A.A. _ International Transactional Analysis Association, dont le siège est à San Francisco.

9. Une revue belge, *Actualité en Analyse Transactionnelle*, publie des traductions des articles les plus intéressants parus dans le *T.A.J.*

conduit les professionnels à se pencher sur ces grilles novatrices d'analyse psychologique et sociale.

D'abord centrée sur les problèmes thérapeutiques, l'A.T. vit ses domaines d'action s'étendre aux relations dans les organisations, à l'entreprise, à l'éducation, à des interventions en milieu carcéral, etc.

Née aux États-Unis, elle a gagné de proche en proche de nombreux pays où elle ne cesse de se développer. Au Québec, par exemple, des cours d'A.T. sont donnés dans toutes les sections universitaires de psychologie et d'aide sociale. Dans des pays aussi différents culturellement des États-Unis que l'Inde ou le Japon, la greffe de l'A.T. a parfaitement pris.

La France et l'A.T.

Et en France ? Eh bien, en France, les choses se passent beaucoup plus lentement.

Quinze ans environ après son explosion outre-Atlantique, l'A.T. était encore inconnue du public français. Une première édition en 1966 d'une traduction de *Games people play* était passée totalement inaperçue. Il y a cinq ans, rares étaient les personnes qui avaient entendu parler de l'A.T., encore plus rares celles qui l'utilisaient dans leur pratique professionnelle. Dans un livre paru en 1975 sur les groupes de rencontre [10], l'auteur terminait son chapitre sur l'Analyse Transactionnelle de la façon suivante : « C'est de toutes les nouvelles techniques de groupe développées aux États-Unis, celle qui évoque le plus la " manie des recettes " à l'américaine. »

Les résistances qui s'étaient manifestées de la part des

10. *Les groupes de rencontre* – Catherine Dreyfus – Ed. La psychologie moderne.

professionnels aux États-Unis étaient encore plus fortes chez leurs collègues qui, en France, entendaient parler de l'Analyse Transactionnelle. A ses « tares » congénitales de simplicité et d'efficacité pratique s'ajoutait sa naissance américaine, suspecte en psychologie.

Quant à « l'homme de la rue », il a été relativement peu informé du développement de l'A.T. Si les premières traductions des best-sellers américains commencent à se vendre en France et à trouver leur public, cela n'offre rien de comparable avec le succès extraordinaire que les originaux ont rencontré outre-Atlantique.

Directement ancrés dans un contexte américain, faisant sans cesse référence à des expériences de la vie quotidienne à New York ou à Los Angeles, utilisant un vocabulaire volontiers familier, pas toujours aisément transposable en français, ces livres perdaient peut-être de leur force d'impact en passant par le laminoir de la traduction. Bref, l'A.T. en France semblait vouée à un destin obscur et sans gloire.

Pourtant les choses changent. Depuis deux ou trois ans, lentement mais sûrement, cette théorie se répand, fait des adeptes, suscite un intérêt grandissant auprès des professionnels et du public.

Les initiateurs de ce mouvement représentent une quinzaine de personnes qui, ayant eu l'occasion de découvrir l'A.T., en ont pressenti toute la richesse et ont compris qu'elle apportait des réponses intéressantes à un certain nombre de besoins réels. Chacun, animateur, thérapeute, formateur, a œuvré dans son domaine pour qu'elle soit plus largement diffusée, en en parlant, en transmettant ses connaissances fraîchement acquises, en proposant à des spécialistes de la question de venir animer des sessions en France, en commençant un travail de transposition de l'A.T. dans le contexte local. Un phénomène de « boule de neige » s'est ainsi créé et des structures d'accueil se sont mises en place. Aujourd'hui l'I.F.A.T. (Institut français d'Analyse Transactionnelle) rassemble plus de 250 membres, il publie une revue composée d'articles originaux, il propose un programme de formation à la pratique de l'A.T.

L'A.T. et moi

Ma propre rencontre avec l'Analyse Transactionnelle remonte à environ cinq ans. Elle a été le fruit d'un double hasard. Le premier m'a fait acheter, dans un aéroport new yorkais, un livre à la couverture d'un jaune agressif, au titre accrocheur : *I'm OK You're OK*[11]. Aussitôt acheté, aussitôt oublié. De retour chez moi, je m'empressai de le ranger dans un rayon de ma bibliothèque, où il dormirait encore si le second hasard, sous la forme d'un groupe de recherche auquel je participais, ne m'avait fait l'y chercher. Ce groupe explorait les relations entre la créativité et l'autorité. Il s'intéressait plus particulièrement aux freins que l'autorité (les patrons, les chefs, les administrateurs, les parents...) mettait la plupart du temps au développement du processus créatif (dans leur entreprise, leur service, leur administration, chez leurs enfants...). La recherche piétinait et le groupe tournait en rond. J'allai voir dans ce fameux livre jaune si une réponse quelconque à ce problème s'y trouvait Et j'entrai dans le monde de l'A.T.

Au début, je puisais dans cet ouvrage cela seul qui intéressait mon sujet, mais au fur et à mesure que j'avançais dans ma lecture, je découvrais une vision nouvelle des relations et de la personnalité humaines. J'entendais en moi le Parent, l'Adulte et l'Enfant et je les voyais à l'œuvre chez les autres. Je découvrais la notion de positions de vie

11. *I'm OK You're OK* – Thomas H. Harris, D'accord avec soi et avec les autres, Ed. EPI.

et la dynamique relationnelle qu'elle implique. J'aimais le concept de caresses (les signes de reconnaissance positifs ou négatifs que nous échangeons avec les autres)... En somme, j'étais assez séduite pour essayer d'en savoir plus.

Ce ne fut pas chose facile, car les moyens mis à ma disposition n'étaient pas nombreux. La lecture de quelques livres disponibles en France mise à part, j'avais peu de possibilités pour progresser dans ma découverte. Heureusement, les autres pays d'Europe étaient en avance sur la France dans ce domaine, et proposaient des stages d'initiation et de formation qui me permirent de commencer à me frotter à la réalité vécue de l'A.T. Le reste se confond avec l'histoire du développement de l'A.T. en France. Invitation d'animateurs étrangers pour poursuivre sur place la formation des Français intéressés par le sujet, participation à des groupes de recherche, à des séminaires, à des congrès, et application progressive des techniques acquises dans ma pratique professionnelle.

Sur le plan personnel, l'Analyse Transactionnelle m'a beaucoup apporté. Elle m'a aidée à mieux me connaître, à mieux comprendre les autres, à avoir des relations familiales et sociales plus agréables et plus constructives.

Sur le plan professionnel, j'ai petit à petit maîtrisé un instrument simple, aisément transmissible, qui aide chacun à accéder à l'autonomie. Par le partage des techniques et des grilles d'analyse qu'il utilise avec ses interlocuteurs, l'animateur ou le thérapeute d'un groupe d'A.T. n'apparaît jamais comme un gourou, seul maître du jeu qu'il mène.

Aussi bien dans les entreprises, où j'interviens pour aider à résoudre des problèmes de relations humaines et de communication, que dans les groupes de développement personnel que j'anime, l'A.T. est devenue pour moi un outil d'élucidation et de changement remarquablement maniable et efficace.

C'est de tout cela qu'est né ce livre. Il est le reflet de mes expériences personnelles et de ma pratique professionnelle.

Il doit beaucoup aux animateurs et amis [12] qui m'ont apporté leur aide dans mon évolution individuelle et dans ma formation à l'A.T. Les lectures des ouvrages de ceux qui m'ont précédée dans cette voie et la rencontre de la plupart d'entre eux [13] ont également été très importantes pour moi. Ce livre est aussi le fruit de ma collaboration professionnelle et amicale avec les membres de l'I.F.A.T. et ceux du Groupe de Recherche et d'Études créatives où est né mon intérêt pour l'A.T. Enfin, il rend compte des apports, des réflexions et du travail de tous ceux qui ont participé aux séminaires, aux sessions et aux groupes que j'ai animés.

Ce livre et l'A.T.

Qu'est-ce qui explique la séduction croissante qu'exerce l'A.T. dans tous les milieux ?

C'est le propos de ce livre de répondre à cette question. Mon intention en l'écrivant est d'en présenter les principaux concepts, de les décrire et de les illustrer aussi clairement que possible pour que le lecteur puisse se les approprier. Mon but premier était de présenter un panorama exhaustif de l'A.T. aujourd'hui. Je ne l'ai pas fait. Le cadre d'un simple volume n'y suffirait pas. Depuis bientôt vingt ans qu'elle existe, l'A.T. n'a cessé de se développer sur le plan théorique et pratique. C'est une discipline ouverte. La personnalité de son fondateur et, peut-être, sa mort préma-

12. Parmi eux, je voudrais mentionner spécialement Mme Konstanz Robertson Rose, thérapeute américaine, vivant en Suisse, membre clinicienne de l'Institut international d'Analyse Transactionnelle, et M. Raymond Hostie, membre enseignant de ce même institut.

13. Tout particulièrement Mme Fanita English, une des théoriciennes les plus subtiles de l'Analyse Transactionnelle. Les noms des autres se retrouvent dans la bibliographie à la fin de ce livre.

turée ont fait qu'elle ne s'est pas figée dans une doctrine rigide. Les chercheurs et les praticiens qui se sont emparés de l'instrument ont pu prouver leur créativité propre pour en enrichir les concepts de base et en créer de nouveaux. Aujourd'hui, l'A.T. est à proprement parler une nouvelle école de psychologie, qui se partage entre divers domaines d'application, différentes orientations théoriques, et qui a même ses dissidents. Aussi, renonçant à mon intention première, je propose dans les pages qui suivent ma synthèse et ma vision personnelle de l'A.T. Issu de mon travail et de ma pratique professionnelle, ce livre rend compte des principales grilles d'analyse de l'A.T., telles que je les ai comprises, vécues et appliquées. Certains concepts y sont à peine esquissés, d'autres sont abondamment développés, ce sont ceux que j'ai eu le plus souvent l'occasion d'expérimenter, avec le plus de résultats positifs.

Dans les pages qui suivent, j'ai organisé les différentes grilles de lecture de l'A.T. en quatre grandes parties :

Une première partie présente les états du moi en en décrivant la naissance et le développement ;

Une deuxième partie illustre les différents types de rapports que ces états du moi entretiennent à l'intérieur de nous-mêmes.

Dans la troisième partie, un certain nombre de grilles sont utilisées pour décrire les relations du P.A.E. avec les autres P.A.E.

La quatrième partie est consacrée à la façon dont les « positions de vie » et les « scénarios » influent sur le cours de notre existence et nous entraînent dans des jeux psychologiques spécifiques.

La conclusion est, elle, réservée aux applications pratiques de l'A.T.

Si on le souhaite, on pourra d'ailleurs intervertir l'ordre de lecture de ces parties, chacune d'elles formant une entité qui rend compte d'un des aspects de la psychologie. Les phénomènes décrits dans ce livre et interprétés sous l'angle de l'A.T. ont déjà été pris en compte et analysés par d'autres théories psychologiques. Chacun pourra reconnaître au passage tel ou tel comportement, telle ou telle attitude, telle ou telle relation, qu'il aura déjà décodé à l'aide d'autres instruments d'analyse et auxquels d'autres thérapies proposent une réponse. Aussi bien, l'A.T. ne se vante-t-elle pas d'avoir inventé un nouvel homme. Mais, une de ses caractéristiques majeures est d'avoir éclairé celui-ci sous plusieurs angles et de l'avoir appréhendé dans toutes ses dimensions : structurelle, fonctionnelle et relationnelle, statique et dynamique, historique, actuelle et future. Chaque grille de l'A.T. projette son éclairage propre sur les relations et sur la personnalité humaine. Elles convergent, pour nous en offrir une image en relief et cernent au plus près les contours psychologiques et sociaux de l'homme. Chacun des schémas théoriques que l'A.T. propose constitue un modèle explicatif cohérent ; ils s'agencent pour former une structure plus complexe et plus riche. Si les praticiens, psychologues, thérapeutes se doivent de connaître toutes les finesses de leur instrument, chacun peut, selon ses limites ou besoins, n'en utiliser que quelques cordes pour en tirer les sons qui lui conviennent.

1

NAISSANCE ET DÉVELOPPEMENT DES ÉTATS DU MOI

L'Enfant Libre

Un nouveau-né vagit dans son berceau. Penchés autour de lui, nous le regardons vivre, mais nous pouvons seulement imaginer ce qu'il expérimente, ce qu'il ressent, la façon dont il perçoit le monde qui l'entoure. Pourtant, nous avons été un jour cet enfant vagissant et une partie de nous-même l'est encore. Cet enfant n'existe pas seulement dans les profondeurs de notre conscience, il vit toujours de façon active et observable. C'est là un des postulats de l'Analyse Transactionnelle. Ce que nous avons été, même dans les jours les plus reculés de notre vie, n'est pas dépassé, disparu ou enfoui dans une mémoire perdue, mais bien toujours présent et agissant en nous, organisé en une structure cohérente de sentiments et d'expression de ces sentiments appelée *état du moi.*

Les manifestations extérieures, observables, du vécu intérieur d'un nourrisson, sont les mêmes pour tous les enfants, sous toutes les latitudes. Les plus essentielles d'entre elles, celles qui nous renseignent sur ce qui se passe dans le berceau même quand nous en sommes éloignés, sont les cris et les pleurs. Ces cris et ces pleurs témoignent le plus directement, par leur présence ou leur absence, des besoins du bébé et des émotions qu'il éprouve. Ils sont parfois l'expression d'une simple envie d'expérimenter un organe vocal tout neuf, mais ils peuvent aussi traduire des émotions et des sentiments violents, tels que la peur, la colère, la détresse... Ces émotions naissent d'un manque. Elles s'apaisent et leurs manifestations cessent dès que ce manque est comblé. La relation entre la perception par l'enfant de ce manque, le sentiment négatif qui en résulte et l'expression de ce sentiment est directe, l'enchaînement entre les séquences se fait de façon quasi instantanée : un enfant a faim (perception du manque), il en souffre (sentiment négatif), il hurle (expression de ce sentiment). Le tout est vécu intensément, naturellement et sans retenue. Quand le manque a disparu, quand l'enfant est nourri, changé, que sa douleur est apaisée, que son besoin de contact est satisfait par des caresses et des baisers... des sentiments positifs tout aussi intenses remplacent les sentiments négatifs initiaux. La satisfaction, le plaisir, le sentiment de sécurité s'installent. Les pleurs et les cris cessent, les traits s'apaisent, le sourire, le rire, le gazouillement éclatent. Ces sentiments premiers sont parmi les plus authentiques que l'homme puisse éprouver. Ils naissent spontanément d'événements externes ou internes vécus comme réels. Ils s'expriment sans retenue d'aucune sorte.

C'est cet enfant en colère, cet enfant souffrant, effrayé, mais aussi cet enfant joyeux, heureux, béat, qui est toujours présent en chacun de nous et qui continue à se manifester au cours des années dans certaines circonstances. Ses modes d'expression sont toujours aussi sommaires et violents : rire, pleurs, cris, sanglots, gestes désordonnés, langage réduit à sa plus simple expression, « Oui », « Non », « Encore », « J'aime », « Ouais »... onomatopées. On appelle l'état du moi qui s'exprime ainsi et qui éprouve ces sentiments, « l'Enfant Naturel » ou encore « l'Enfant Libre », parce que, comme pour le nourrisson dont nous parlions tout à l'heure, ses réactions observables sont la résultante immédiate et spontanée des sentiments éprouvés, lesquels sentiments sont directement provoqués par des événements vécus par l'Enfant.

L'Enfant Libre en action est repérable chez un adulte, homme ou femme, à chaque fois que celui-ci a l'occasion, la permission, la possibilité d'exprimer sans détour ses émotions les plus profondes. Il arrive que cet état du moi se manifeste dans un cadre « autorisé » où l'expression de l'Enfant Libre des « grandes personnes » est traditionnellement permise. Par exemple, dans les sauts, les embrassades, les éclats de joie des membres d'une équipe sportive après un but réussi ; dans les hurlements de frayeur des passagers d'un grand-huit vertigineux ; dans les sanglots sans retenue d'une personne qui vient de voir mourir un être cher.

Il arrive aussi que cet Enfant fasse irruption sur le devant de la scène indépendamment de toute circonstance « sociale » définie. Un sentiment de bonheur indicible à l'idée de revoir un être aimé, qui fait danser, bondir, faire « n'importe quoi ». C'est l'Enfant en nous qui s'exprime. Une colère dévastatrice due à un quelconque mauvais coup du sort qui éclate violemment dans les cris, la fureur, les claquements de porte, les battements de cœur, c'est encore l'Enfant qui se manifeste. La béatitude sereine suivant un bon repas ou une rencontre amoureuse réussie, où quelques soupirs et grognements de satisfaction témoignent seuls de notre bien-être, c'est aussi l'expression de l'Enfant Libre.

Les événements susceptibles d' « accrocher » l'Enfant en nous sont divers, les sentiments éprouvés, peur, colère, joie, plaisir... sont purs et violents, leur mode d'expression est direct et immédiatement décodable par un observateur extérieur.

L'Enfant Adapté

Si le petit d'homme est, dans les premiers temps de sa vie, un être qui réagit essentiellement à ses propres besoins et émotions, très vite, il commence à percevoir les demandes et les attentes de ses parents à son égard. Pour répondre à ces demandes et à ces attentes, il va être obligé de modifier peu ou prou ses réactions et même ses sentiments, face à des situations nouvelles ou déjà expérimentées. Il n'a pas d'autre choix. Ses parents sont pour lui des figures d'autorité extrêmement puissantes. Elles ont le pouvoir de remplacer des stimuli négatifs, la faim, la douleur, le froid... par des stimuli positifs, la nourriture, les soins, les caresses... Dans cette situation, pris entre des événements externes et internes qu'il subit et ses parents (ou toute autre personne qui en tient lieu) médiateurs tout-puissants entre ces événements et lui, l'enfant doit trouver des solutions pour se concilier les bonnes grâces de ces médiateurs.

L'idée du développement d'un enfant laissé libre de n'exprimer que les besoins de son Enfant Naturel, entouré de parents uniquement attentifs à les satisfaire, sans aucun projet d'aucune sorte sur lui, oublieux de leurs propres besoins, relève du mythe. Tout processus de socialisation s'oppose à cette vision. Toute mère, la plus attentionnée soit-elle, réagit face à son enfant non seulement en fonction des besoins de celui-ci, mais aussi des siens propres, de son état d'esprit, de celui de ses nerfs, de son degré plus ou moins grand de fatigue, des conditions extérieures où ils se trouvent placés : heure, lieu, temps, etc. Même si elle n'a pas en tête de lui imposer un système éducatif quelconque, vient le jour où elle lui apprend à manger à la cuiller, à être propre, à ne pas crier quand sa petite sœur dort, à ne pas donner des coups de pied à sa grand-tante qu'il n'aime pas.

Le jour où elle n'a pas le temps de le cajoler et de l'embrasser parce qu'elle est pressée de sortir... Bref, le jour où elle lui demande de ne pas laisser son Enfant Libre s'exprimer, où elle attend de lui un autre type de réaction.

A ce moment, l'enfant va, d'une façon ou d'une autre, se soumettre à cette demande. A-t-il compris les raisons de ses parents ? Apprécie-t-il leur caractère opérationnel ? Est-il convaincu de leur utilité ? Sans doute pas. S'il s'y adapte, c'est qu'il n'a tout simplement pas d'autre choix face à des êtres qui sont encore la source unique de ses nourritures physiologiques et psychologiques.

Voici un enfant de treize mois. Ce soir ses parents reçoivent des amis. Il est neuf heures, bébé se réjouit d'être avec les « grands ». Il les regarde, il les écoute, il tape des mains et des pieds, il glousse. A sa manière, il participe à leurs « jeux » passionnants. Mais, voilà que papa et maman décident qu'il est l'heure de mettre l'enfant au lit. Bébé est furieux, triste, il proteste, pleurniche, essaie de gagner quelques minutes, mais il est bien obligé d'aller se coucher. Qu'il se soit adapté aux demandes de ses parents en s'y soumettant ou en se rebellant contre elles, d'une façon ou d'une autre, il y souscrit. Qu'en est-il en effet de son propre besoin naturel de dormir ? Il est gommé par ses réactions devant les exigences de ses parents. Leurs besoins et leurs demandes prennent le pas sur les siens propres.

Chaque enfant répond donc à sa manière aux attentes de ses parents et réagit en fonction de sa perception de ces attentes. En même temps qu'il adopte un comportement d'adaptation, il éprouve des sentiments en général plus complexes que ceux de l'Enfant Naturel : culpabilité, honte, jalousie, malaise, frustration... La relation entre les événements vécus, les sentiments éprouvés et les réactions provoquées n'est plus aussi immédiate ni aussi évidente que chez l'Enfant Libre. Elle se complexifie, des éléments hétérogènes s'y introduisent, elle est différente et différemment vécue suivant les personnes.

Un enfant arrive à l'âge de la propreté. Ses parents vont

entreprendre de l'éduquer à l'usage du pot. Autour de l'enfant et de cet instrument vont se dérouler, plusieurs fois par jour, des scènes dans lesquelles interviendront deux acteurs principaux : la mère et l'enfant ; un accessoire essentiel : le pot de chambre ; et divers seconds rôles : le père, les grands-parents, parfois les frères et sœurs... Suivant la famille où vit cet enfant, ces scènes pourront être interprétées de façons très diverses : certaines n'en feront qu'un événement banal, d'autres un jeu, un petit drame, une scène comique, une fête... En fonction du déroulement de ces scènes, l'enfant va développer – outre le besoin naturel de se soulager, suivi d'effet et accompagné de plaisir, déjà vécu par lui et enregistré dans son Enfant Naturel – tout un nouveau système de réactions et de sentiments. Des sentiments de fierté (de réussir ce que maman demande), de colère (d'être obligé de faire ce qu'on attend de lui), de honte (de s'être encore oublié)... Et des réactions d'empressement (à faire plaisir à maman), d'obstination (je ne le ferai pas, na !), de passivité (de toute façon je n'ai pas le choix), d'acharnement (c'est difficile, mais je vais essayer encore)... Ces réactions et ces sentiments nouveaux, face à une situation déjà expérimentée, vont venir s'inscrire dans une partie de l'état Enfant, appelée « l'Enfant Adapté ».

Si les enregistrements de l'Enfant Libre sont quasiment universels, ceux de l'Enfant Adapté varient beaucoup en fonction des relations de chacun à son environnement à l'âge où l'Enfant Adapté se construit. Dans le cas, par exemple, de l'éducation à la propreté, en fonction de la manière des parents de traiter ce problème, de leurs attentes, de la formulation de ces attentes, de ce qui en résultera pour lui selon qu'il les satisfait ou pas, l'enfant décide de la meilleure conduite à adopter. C'est son intuition, sa perception non verbalisable de tous ces éléments, ce que l'A.T. appelle « le Petit Professeur » ou l'Adulte dans l'Enfant, qui aident ce gamin d'une vingtaine de mois à prendre sa décision. Ce petit enfant sent, ou plutôt pressent, ce qu'il peut faire pour jouer quand même sa partie dans cette scène sans être complètement manipulé comme un objet. Il devine jusqu'où il peut aller trop loin. Il comprend que, par exemple, quand papa est là, il vaut mieux obéir, mais que maman est plus indulgente. Il sait que s'il s'oublie une fois on ne lui en tiendra pas trop rigueur, mais qu'il a intérêt à se racheter la fois suivante... L'éventail des choix « éducatifs », entre l'incitation amicale et non dramatisée et l'exigence autoritaire et fortement contraignante, est vaste. Les décisions soufflées à l'enfant par son Petit Professeur pour y répondre sont diverses. Elles peuvent sembler aberrantes vues de l'extérieur, mais pour l'enfant, au moment où il les vit, elles sont extrêmement pertinentes. Face à des exigences impératives, voire maladives de la part de ses parents, il pourra, par exemple, décider : « Il vaut mieux que je me soumette, sinon, je risque ma vie. »

A partir des décisions de son Petit Professeur, l'enfant va ainsi vivre des systèmes cohérents de sentiments et de réactions qui vont venir s'enregistrer dans son Enfant Adapté.

Pendant toute cette période de la petite enfance, dans les relations avec son environnement, l'enfant a, en général, l'occasion de continuer à exprimer son Enfant Libre, mais c'est aussi l'époque où, face aux attentes de cet environnement, il construit son Enfant Adapté. Ce système de comportements et de sentiments lui permet de vivre et de se développer dans la dynamique qu'il entretretient avec ses proches. Il prend sa place dans le groupe familial et devient un acteur à part entière de la saga qui se déroule quotidiennement sous son toit.

Si nous insistons tout particulièrement sur la façon dont l'Enfant Adapté naît et se développe, sur le mode d'enregistrement de ces structures de pensées, de comportements et de sentiments, c'est parce qu'une grande partie des problèmes, des perturbations, des dysfonctionnements de l'âge adulte proviennent de cet Enfant Adapté, devenu particulièrement inadapté dans un autre environnement que l'environnement familial.

En effet, les sentiments que l'enfant éprouve dans ces

situations plus ou moins contraignantes, les attitudes et les comportements qu'il adopte, les décisions qu'il prend concernant la façon la plus astucieuse pour lui de s'en sortir, les conclusions qu'il en tire quant à lui et aux autres... il ne va pas toutes les abandonner en grandissant. Ce qu'il expérimente de façon directe, intense et lourde de signification pour lui à ce moment-là, s'organise en un système cohérent qu'il va reproduire devenu adulte, chaque fois que son Enfant Adapté sera activé. C'est-à-dire, chaque fois qu'il aura affaire à des personnes qu'il percevra comme des figures d'autorité (qu'il identifiera à ses parents), ou chaque fois qu'il rejouera à son seul usage les enregistrements provenant de son Parent interne.

Un exemple précis, toujours dans le domaine de l'éducation à la propreté, éclairera notre propos.

Jean a des parents assez exigeants sur ce chapitre. Quand il s'oublie il reçoit une fessée, sa mère le gronde, quand son père rentre le soir, elle lui raconte que Jeannot a encore été un vilain garçon et a sali sa culotte. La fois suivante, Jean n'oublie pas de réclamer le vase, maman lui dit qu'il est un bon garçon, le félicite et l'embrasse. Mais, s'il continue à être propre, elle fait de moins en moins de commentaires, trouve cela tout naturel. Pour à nouveau obtenir l'attention de sa mère, d'abord de façon négative, en se faisant gronder, puis, au moins une fois de façon positive, en recevant caresses et félicitations, Jean a une solution : il faut qu'il s'oublie encore une fois : « On s'occupe de moi quand je fais très mal, et quand, ensuite, je me rachète. » C'est là sa conclusion et c'est une conclusion extrêmement pertinente compte tenu des éléments dont il dispose, elle lui assure la ration d'attentions dont il a besoin. En même temps qu'il expérimente cette séquence de comportement : « faire mal, puis bien, jusqu'à ce que cela devienne de moins en moins intéressant de réussir, alors à nouveau faire mal », Jean vit des sentiments fort complexes : gêne mêlée de peur et d'une secrète satisfaction quand il fait mal. Intense fierté, triomphe, bonheur quand il fait bien. Ennui, manque d'intérêt par la suite. L'attitude de ses parents face à ce problème de la propreté est caractéristique de leur comportement général : le bien n'est reconnu qu'en relation avec un mal précédent. En réponse, Jean expérimente et enregistre un système de comportements et de sentiments associés. Devenu adulte et apparemment autonome, il va continuer à fonctionner suivant ce système cohérent pour lui dans les situations où il s'agira de faire quelque chose pour autrui et principalement dans son travail. Ainsi, il commet une erreur professionnelle qui entraîne la désapprobation de ses chefs. Interpellé à ce sujet par son supérieur hiérarchique, son Enfant Adapté va être activé. Il revit des sentiments de gêne et d'inquiétude. Il a la même attitude qu'autrefois quand il avait fait dans sa culotte, yeux baissés, rougeur au front, excuses marmonnées, faisant le gros dos sous l'orage, mais ayant déjà enclenché son dialogue intérieur. Son Parent interne joint sa voix à celle de son supérieur pour lui faire d'amers reproches et son Enfant répond : « Je sais ce qu'il me reste à faire, ils verront la prochaine fois ! » Effectivement, dès que l'occasion s'en présente, Jean se distingue en bien dans le domaine où il s'était « enlisé ».

Par exemple, après avoir été très médiocre dans une négociation avec un client, il va étonner tout le monde en emportant brillamment la négociation suivante. A nouveau son supérieur hiérarchique le fait appeler, mais cette fois, c'est pour le féliciter, lui dire son étonnement heureux. Jean est enchanté, c'est la même joie qui brille dans ses yeux que lorsqu'il était petit et que maman le félicitait et l'appelait son « bon petit garçon », il est regonflé, il triomphe, son Enfant reçoit les caresses qu'il attendait. Puis la routine reprend, Jean va voir d'autres clients, réussit d'autres négociations, mais il a droit à moins de félicitations et de commentaires, c'est l'ennui qui s'installe. Cependant, Jean a dans ses enregistrements d'Enfant une information sur ce qu'il faut faire dans ce cas : « une grosse bêtise ». Et à nouveau, il se montre piteux dans un travail qu'on lui avait confié car on croyait pouvoir lui faire confiance. Jean a donc revécu ce cycle enregistré dans son Enfant et à chaque fois il expérimentait les sentiments, les comportements et attitudes autrefois vécus avec ses parents. L'ennui, c'est que ce système, qui fonctionnait parfaitement lorsque Jean était enfant et qui lui fournissait la ration de caresses et d'attentions dont il avait alors besoin, est devenu aujourd'hui inadéquat. Son patron n'est pas forcément prêt à faire confiance à quelqu'un d'aussi imprévisible. Il ne pensera pas à lui pour une éventuelle promotion, car « on ne peut pas vraiment compter sur lui ». Pire (pour Jean), au bout de deux ou trois fois, ce patron (qui lui n'a pas de projet éducatif sur Jean) ne lui donnera même plus sa ration de compliments et de félicitations après une réussite car il le sait faillible à nouveau, sevrant ainsi Jean de ce à quoi il estime avoir droit, se montrant un mauvais « Parent » pour lui, et se faisant rejeter (commentaires amers avec les collègues, démission, demande de mutation) par Jean.

Ce que nous avons décrit là, c'est la façon dont l'Enfant Adapté peut conduire toute une séquence de comportement, se manifestant sur le devant de la scène à chaque moment clé de son déroulement. Mais, nous pouvons à tout moment nous retrouver branchés dans notre état d'Enfant Adapté tout au long de notre existence quotidienne. Celui-ci se manifeste face à des figures perçues comme parentales, devant des contraintes sociales d'étiquette, de convention, en réponse à un Parent interne qui continue à intervenir dans notre comportement, à le commenter, à l'influencer. Il est repérable à un certain nombre de réactions caractéristiques que l'on peut arriver à reconnaître chez soi et chez les autres : rougeur, pâleur subites, voix étouffée ou trop aiguë, regard fuyant, gestes mal contrôlés des mains ou des pieds, mains moites, phrases emberlificotées, discours qui s'interrompt au milieu d'une phrase, regard levé au plafond, semblant chercher une approbation ou une réponse venue d'en haut... sont autant de signes qui témoignent que l'Enfant Adapté est « accroché ».

Le Parent

En même temps que, dans les premières années de la vie, se constitue cet Enfant Adapté, un autre état du moi commence à se former : le Parent.

Pendant que l'enfant réagit aux attentes diverses des figures parentales qui l'environnent, qu'il éprouve de nouveaux sentiments complexes et adopte différents comportements de soumission ou de rébellion, il enregistre dans son Parent les attitudes, les façons d'être, les préceptes, les sentiments affichés par ces figures d'autorité. Il apprend comment on réagit devant quelqu'un qui « se tient mal » (c'est-à-dire différemment de ce qu'on souhaite), comment on obtient des autres qu'ils se plient à nos exigences, comment on console (ou pas) quelqu'un qui pleure, comment on fait taire quelqu'un qui crie, comment on embrasse quelqu'un qu'on veut réconforter. Pour le moment, ce quelqu'un c'est lui-même. Mais il sera si agréable, si soulageant, si rassurant, d'être un jour celui qui est de l'autre côté de la barrière, de consoler, embrasser, faire taire et punir à son tour. En général, les parents n'enseignent pas volontairement tout cela à leurs enfants. Pourtant c'est là une des choses essentielles qu'ils leur apprennent, en même temps que la plus sûrement apprise. Une mère qui dit à sa fille : « Assieds-toi, tiens-toi tranquille et mange ta soupe ! », ne lui aura peut-être pas appris à bien se tenir à table, mais elle lui aura certainement montré comment, avec quels mots, quels gestes et sur quel ton, enjoindre à quelqu'un de le faire. Quelques instants plus tard, utilisant, par exemple, sa poupée comme « sujet à éduquer », la petite fille pourra reproduire la séquence dans son intégralité, exerçant ainsi son état Parent.

La constitution du Parent ne se fait pas en un jour, ni en

un mois. Au fur et à mesure qu'un enfant grandit, cet état du moi s'enrichit de nouveaux éléments, se développe et se complexifie, nourrit des stimulations diverses qu'il reçoit des différentes personnes qui, dans son entourage, exercent une quelconque autorité sur lui : père et mère, grands-parents, grande sœur, grand frère, plus tard une institutrice ou un chef scout...

Les adultes alimentent l'état du moi Parent de leurs enfants en leur donnant l'exemple du ton, des gestes, des attitudes, des mots, qu'adopte un parent. Ils leur fournissent aussi le contenu culturel, social et moral qui sous-tend leur comportement. Le Parent ne peut être si sûr de lui, si définitif, si autoritaire face à ses enfants que parce qu'il sait ce qui est bien et ce qui est mal, ce qui est acceptable ou pas, ce qu'il faut, qu'on peut, qu'on doit faire ou ne pas faire, etc. Ce système de valeurs transmis de façon implicite et explicite à l'enfant vient s'enregistrer dans son état Parent. Il est rassurant, lorsqu'il est cohérent avec le comportement parental, et donc sécurisant pour l'enfant qui l'intègre. La remise en cause éventuelle de ce système de valeurs au cours du développement de la personne entraîne des conflits que nous aurons l'occasion d'examiner par la suite. Mais notons, dès à présent, que si le contenu culturel, préjugé du Parent, peut évoluer, il n'en va pas de même avec les comportements et les attitudes qui ne se modifient que fort peu avec le temps et qui signent, par leur présence, l'activation de l'état Parent, au-delà du contenu manifeste du discours.

Le Parent est un état du moi appris et imité. Il se manifeste dans toutes les situations où quelqu'un se juge investi d'un pouvoir parental. C'est-à-dire chaque fois que l'objectivité de la relation et la subjectivité de la perception qu'il en a conduisent quelqu'un à se charger du rôle de guide, de conseil, de critique, de protecteur... d'autrui. Le Parent est activé dans la relation classique de parent à enfant ou d'adulte vis-à-vis de jeunes. Mais également dans toute relation de dépendance, qu'elle soit induite par la structure sociale ou vécue comme telle par les protagonistes de cette relation. Ainsi, un chef de service pourra être Parent avec ses subordonnés, un médecin avec ses malades, un fonctionnaire avec ses administrés, un mari avec sa femme, une femme avec son mari, etc. L'intervention d'un sujet dans « les affaires » d'un autre pour le guider, le conseiller, le critiquer, induira le plus souvent chez lui l'activation de son état Parent. Il s'exerce aussi dans un rapport interne entre le Parent d'une personne et son propre Enfant Adapté, quand elle rejoue à son seul usage ses enregistrements parentaux critiques et normatifs ou consolateurs et réconfortants.

Les structures de l'état Parent se transmettent au fil des générations, des géniteurs, des adultes, de la société, à leurs rejetons. Son contenu varie de façon plus ou moins grande suivant les lieux et les époques, en fonction du code social en vigueur. Les préceptes du Parent sont relatifs aux différents systèmes de valeurs en usage dans un lieu, une famille, un milieu, à une époque donnée. Ses rôles sont codifiés et évoluent très lentement. Ils sont de deux types, l'un Normatif, l'autre Nourricier. Ses modes d'expression, en ce qui concerne le langage non verbal, sont caractéristiques : sourcils froncés, index tendu, poings aux hanches, regard venant de haut, critique ou bienveillant... A quoi s'ajoutent, pour chacun, des éléments du patrimoine gestuel familial. La structure du discours parental est facilement reconnaissable : phrases toutes faites et bien senties, qui rendent un son définitif sur « les femmes », « les jeunes », « les étrangers », « la famille », etc. Ces phrases sont ponctuées de mots sans réplique comme « il faut... », « toujours », « jamais », « croyez-en mon expérience »... Le Parent apparaît comme sûr de lui et de ce qu'il avance. A travers les époques, le contenu du discours du Parent évolue. Par exemple, il y a vingt ou trente ans, dans une famille française, le contenu de ce discours pouvait être : « Une femme ne s'épanouit jamais aussi bien que dans la maternité ! » Alors qu'aujourd'hui, dans certains milieux, il serait plutôt : « Une femme, pour vraiment s'épanouir, doit avoir d'autres centres d'intérêt que ses enfants ! » De même qu'aujourd'hui, le discours « consumériste » et écologique prend parfois un ton Parent et proclame le scandale des colorants et de l'asservissement à la technique, comme il chantait, il y a quelques années, les bienfaits des progrès techniques et de l'utilisation du plastique. Le contenu dans l'un et l'autre cas a changé, mais le Parent continue à exprimer de façon péremptoire des vérités premières, sans toujours les démontrer, mais en s'appuyant sur une expression énergique et définitive, qui ne laisse pas de place à la réfutation.

Le Parent décrit ci-dessus est un Parent type, presque caricatural. Il va de soi, que l'état du moi Parent de chacun d'entre nous est bien spécifique, il s'exerce plus volontiers sur des sujets que sur d'autres, il a son langage particulier, reflet de ce qu'il a appris de ses propres parents.

Deux jeunes femmes commentent les déboires conjugaux d'une de leurs amies. L'une s'exclame : « Elle l'a bien cherché ! Elle récolte ce qu'elle a semé ! », tandis que l'autre s'apitoie : « La pauvre petite, elle ne méritait pas cela, elle n'a vraiment pas de chance ! » Nous entendons là deux Parents, mais aux réactions très différentes. Dans un cas, un Parent Critique fustige d'un ton bien senti la « responsable » de son propre malheur. Dans l'autre, un Parent Nourricier compatit au triste sort de son amie. Chacune des deux jeunes femmes réagit depuis son Parent, mais « rediffuse » ses propres enregistrements parentaux sur le sujet.

Ainsi, chacun transporte en lui toutes les figures parentales qui ont peuplé son enfance et leur donne l'occasion de s'exprimer par sa voix, par ses gestes, par ses mots, ses intonations, et de revivre leurs sentiments. Et ce qui caractérise ces sentiments du Parent, c'est qu'ils sont plus encore affichés que profondément ressentis. L'indignation, la « juste » colère, l'apitoiement, l'attendrissement... Tous sentiments qui ont droit de cité et d'expression.

L'Adulte

Cet enfant près du berceau duquel nous nous tenions, nous l'avons vu exprimer son Enfant Naturel, exercer son Petit Professeur et développer son Enfant Adapté. Nous l'avons également vu expérimenter son Parent naissant à l'instar de ce qu'il apprenait de ses géniteurs. Ce même enfant, confronté à la réalité du monde extérieur, prenant conscience de son vécu intérieur, fait des observations sur son environnement et sur lui-même. Il acquiert quelques informations qu'il organise en une ébauche de structure. Il perçoit des chaînes de causalité et reconnaît les conséquences de certains de ses actes. Il lui arrive de faire l'expérience de l'autonomie. Il construit ainsi le troisième de ses états du moi, l'Adulte. L'Adulte est en effet la partie de notre moi qui observe, s'informe, puise des renseignements là où il peut les trouver, aussi bien en lui-même qu'à l'extérieur. Il analyse les éléments d'information recueillis pour prendre les décisions d'action qu'il juge opportunes en fonction du but qu'il s'est fixé. Une autre des caractéristiques de l'Adulte, c'est sa faculté de se projeter dans l'avenir pour envisager les conséquences de ses actes. Là où le Parent dit : « C'est comme ça parce que c'est comme ça ! » où l'Enfant dit : « C'est comme ça parce que c'est comme cela que je le ressens ! » l'Adulte dit : « C'est comme ça, parce que c'est comme cela que ça me semble le plus efficace ! »

L'exemple simple d'un enfant mis en présence d'un fer à repasser chaud illustre le processus de formation de l'état du moi Adulte. Poussé par la curiosité, l'enfant veut toucher le fer à repasser. Sa mère est présente dans la pièce, elle lui donne une tape sur les doigts avant qu'il n'y parvienne en disant : « Touche pas ! bobo ! » L'enfant ne veut pas, ni ne peut, contredire maman, il met en œuvre son Enfant Adapté, il obéit. Quelques jours plus tard, il se retrouve à côté du même fer à repasser branché, mais sa mère n'est pas présente dans la pièce, sa curiosité l'emporte sur l'interdit maternel, il touche le fer chaud. Il se brûle. Il acquiert ainsi une information qui s'enregistre dans son Adulte : « Les fers à repasser sont brûlants. » La prochaine fois qu'il en verra un, sans doute n'y touchera-t-il pas, non plus pour obéir à maman, mais en toute connaissance de cause, pour ne pas se brûler. A cette première information que l'enfant a eue sur les fers à repasser, d'autres viendront s'ajouter au fil des mois et des années. Bientôt, il saura qu'il faut qu'ils soient branchés pour chauffer et que cela demande un certain temps. Un jour, il apprendra à s'en servir et même comment ils fonctionnent. Cependant, la quantité d'informations accumulées sur un sujet n'est pas obligatoirement proportionnelle au bon fonctionnement de l'Adulte face à ce sujet. L'enfant qui décide : « Je ne toucherai pas à ce fer, parce que je sais qu'il va me brûler ! » est déjà branché sur son Adulte, parce qu'il se sert de la façon la plus adéquate pour lui des données objectives recueillies. Au fur et à mesure qu'il recueille des informations sur le sujet, il utilise de mieux en mieux un certain type de fer à repasser, mais pas forcément de mieux en mieux son Adulte. L'état du moi Adulte se définissant non pas tant par la quantité d'informations qu'il contient, que par la façon de les utiliser, ainsi que par son aptitude à remettre en cause ces informations si nécessaires. Supposons, par exemple, qu'on lance un jour sur le marché des fers à repasser qui repassent parfaitement à froid. L'Adulte les essaiera et s'il en est satisfait, les adoptera. Alors que le Parent dira : « C'est impossible, il a toujours fallu que les fers soient chauds pour bien repasser ! »

Continuons à nous intéresser à l'enfant et au fer à repasser – exemple, bien entendu, transposable à tous les domaines. Nous constatons que le fait d'avoir des informations sur les fers à repasser n'entraîne pas une activation automatique de son Adulte, lorsqu'il a affaire à eux. Cet enfant qui sait maintenant qu'un fer à repasser brûle peut parfaitement se trouver branché sur son Parent, lorsqu'il voit, par exemple, sa petite sœur qui s'apprête à y porter la main. Il lui dira : « Touche pas ! bobo ! » avec les mêmes gestes et les mêmes intonations que sa mère. Lui-même, se retrouvant dans la pièce où celle-ci est en train de repasser, pourra éprouver un sentiment de malaise et de crainte à l'idée qu'il a transgressé l'interdit qu'elle lui avait imposé, sentiments provenant de son Enfant Adapté.

De même, une personne adulte préparant, sur un sujet qui lui tient à cœur, une intervention auprès d'un supérieur ou de collègues dans la solitude de son bureau est branchée sur son Adulte. Elle accumule les informations, construit une argumentation logique et cohérente, réfléchit à la meilleure façon de présenter les choses. Elle est calme, sensée et efficace. Le lendemain, elle se trouve face à ses interlocuteurs et les arguments qui s'enchaînaient si bien vont se défaire. Les informations claires et précises qu'elle souhaitait donner ne vont plus lui sembler, tout à coup, ni si claires ni si précises. Elle commence par une remarque clé qu'elle souhaitait réserver pour la fin de son intervention. Sa voix, qui est en général bien timbrée, sonne moins juste à ses oreilles. Elle va se mettre en colère contre elle-même, se traitant intérieurement d'imbécile. Et elle verra ce processus se dérouler sans se sentir capable de le maîtriser. De même qu'elle ne se sent pas maîtresse des battements de son cœur ou de la moiteur de ses mains. Pourtant le sujet traité est celui-là même qu'elle avait si bien débrouillé la veille. Sans doute, ses interlocuteurs ne lui opposent-ils pas des arguments irréfutables. Tout à l'heure, une fois sortie de ce bureau, elle va trouver les parades les plus subtiles à leurs contre-arguments. Mais pour l'heure, c'est sa partie du moi Enfant Adapté qui mène le jeu. Son Enfant, effrayé, mal à l'aise, confus et bafouillant, est uniquement pressé d'en finir au plus vite pour échapper au regard des Parents qui la jugent.

Ainsi, de même que la possibilité de faire fonctionner l'Adulte n'est pas uniquement liée à la quantité d'informations dont il dispose, son bon fonctionnement ne dépend pas du sujet qu'il traite. L'Adulte est une instance du moi qui fonctionne dès qu'une personne parvient à se déparasiter des peurs de l'Enfant et des préjugés du Parent, quels que soient les sujets traités, la situation objective et les informations disponibles.

L'Adulte est un état du moi qui a ses caractéristiques historiques spécifiques. En raison de l'état de dépendance de l'enfant dans les premières années de sa vie, il commence à se construire plus tardivement que les autres. En revanche, son développement peut se poursuivre et se consolider bien après que les autres états du moi sont formés. C'est là à la fois sa chance et sa malchance. Sa malchance, parce qu'il ne bénéficie pas, comme l'Enfant, de structures archaïques profondément ancrées ; ni comme le Parent, de modèles de références, facilement intégrables. Sa chance, parce que le développement et la consolidation de l'Adulte est l'affaire personnelle de chacun, la possibilité qui lui est donnée d'équilibrer sa personnalité et d'entamer un processus d'autonomie. L'Analyse Transactionnelle postule que chacun, sauf peut-être les débiles profonds, a un Adulte prêt à fonctionner. Il n'y a pas de personnalités incomplètes. Seulement, parfois, l'Enfant tourmenté, ou le Parent autoritaire, crie si fort, prend tant de place que l'Adulte est obligé de se taire et de se faire tout petit. Le travail en A.T. consiste donc d'abord à débrancher, si peu que ce soit, le Parent et l'Enfant, pour permettre au murmure de l'Adulte de se faire entendre et de devenir petit à petit cette voix claire et sereine qu'il peut être. Par la suite, cet Adulte pourra redonner la parole à l'Enfant et au Parent, pour analyser leurs besoins, leurs peurs, leurs désirs, leurs volontés, et les traiter.

EN GUISE DE RÉSUMÉ SUR LES ÉTATS DU MOI

SCHÉMA STRUCTUREL DE LA PERSONNALITÉ SELON L'A.T.

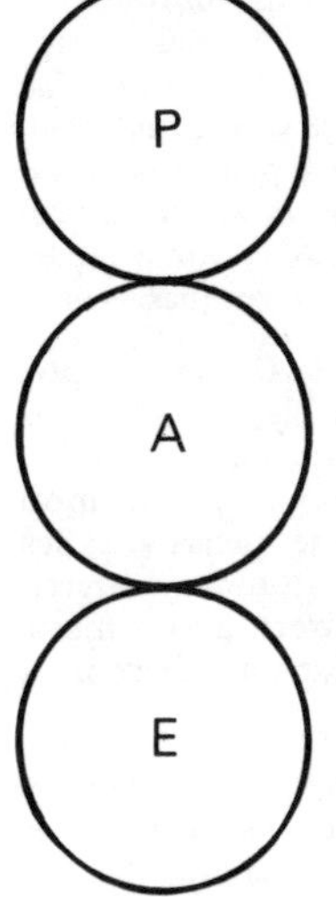

LE PARENT : État du moi où sont enregistrés les messages, les comportements, les attitudes des personnages extérieurs. L'essentiel du Parent se constitue entre deux et six ans, mais, plus tard, d'autres enregistrements peuvent venir s'ajouter à la bande originale = (l'appris).

L'ADULTE : État du moi qui recueille et traite l'information provenant du Parent, de l'Enfant et de l'environnement extérieur
L'Adulte est un état qui se développe et se consolide plus particulièrement entre trois et douze ans, mais il est en perpétuelle évolution = (le réfléchi).

L'ENFANT : État du moi où sont enregistrées nos réactions spontanées ou d'adaptation aux événements et personnages extérieurs. L'état le plus archaïque, il se crée dès la naissance sinon dès la conception. Il évolue très peu après l'âge de six ans = (le ressenti).

SCHÉMA STRUCTUREL DU SECOND DEGRÉ : Les états du moi dans notre vie intérieure

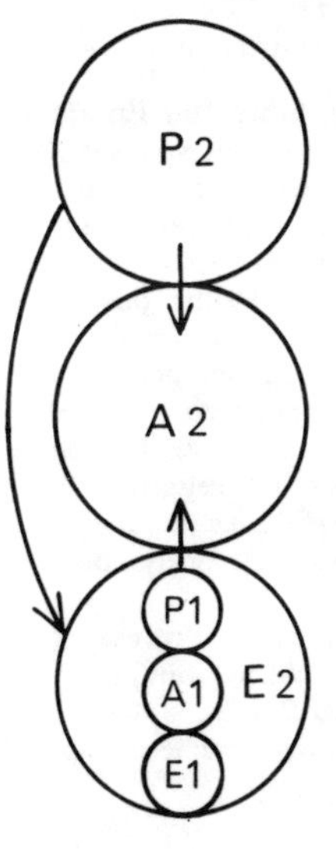

LE PARENT : diffuse ses enregistrements positifs et négatifs, constructifs et destructeurs à l'intention de l'Enfant interne qu'il essaie de continuer à maintenir sous sa coupe.

L'ADULTE : gère les relations entre les états du moi.

P. 1 – Le Parent dans l'Enfant (ou Enfant Adapté). La partie de l'Enfant qui réagit presque automatiquement aux messages que continue à diffuser le Parent (historiquement l'Enfant entre un an et six ans).

A. 1 – L'Adulte dans l'Enfant : a cherché à deviner et à composer avec les attentes du Parent. Continue chez la « grande personne » à maintenir les « décisions de survie » prises par l'Enfant.

E. 1 – L'Enfant dans l'Enfant (ou Enfant Naturel) : le siège des émotions premières, des besoins, des désirs et des peurs les plus authentiques de chacun (historiquement l'enfant entre zéro et trois ans).

SCHÉMA FONCTIONNEL DES ÉTATS DU MOI :
Nos états du moi dans leurs relations avec les autres

Le Parent Normatif (ou Parent Critique) : Guide, édicte les règles, juge, fait respecter la norme, mais aussi critique, interdit, contraint. Ses mots : « moral », « immoral », « il faut... », « j'exige », « jamais », « toujours », etc. Ses gestes, ses attitudes : index tendu, sourcils froncés, poings aux hanches, regard autoritaire...

L'Enfant Adapté Soumis : S'adapte aux demandes et attentes des autres en s'y conformant. A peur de mal faire, essaie de deviner ce qu'on attend de lui ! Ses mots : « euh ! », « ce n'est pas ma faute », « j'ai fait de mon mieux », « je vais essayer »... Gestes et attitudes : « regard fuyant », « épaules courbées », rougeur, voix peu assurée, étouffée, marmonnée...

L'Enfant Adapté Rebelle : S'adapte aux demandes et attentes des autres en les prenant à contre-pied — Réagit d'abord en s'opposant. Ses mots : « ne comptez pas sur moi », « vous n'avez pas le droit », « vous ne pouvez pas me forcer à... ». Ses gestes et attitudes : haussement d'épaules, mine boudeuse, air renfrogné, récriminations...

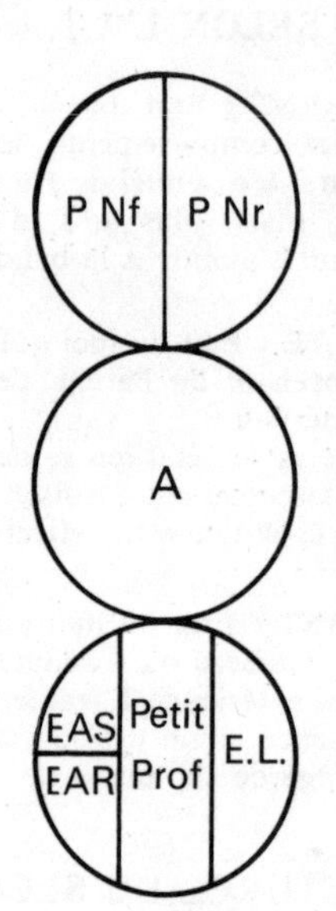

Le Parent Nourricier : Prend en charge, soutient, console, mais aussi surprotège, étouffe. Ses mots : « c'est bien ! », « je vais t'aider ! », « je vais le faire pour toi », « mon pauvre petit... ». Ses gestes et attitudes : caresses, bras autour des épaules, regard compatissant...

L'Adulte : Organise, prévoit, calcule, décide. Ses mots : « quand ? », « où ? », « combien ? », « à mon avis », « je pense »... Ses gestes et attitudes : ouvert, regard direct, gestes mesurés, soulignant le discours...

Le Petit Professeur (ou Enfant Manipulateur) : Le siège de l'intuition, sent les choses et les gens, est créatif [1]. Ses mots : « et si... », « j'ai une idée ! », « euréka »... Ses gestes, ses attitudes : regard enjôleur, tête inclinée sur l'épaule, sourire complice...

L'Enfant Libre (ou Enfant Naturel) : Réagit spontanément et affectivement aux choses et aux gens. Ses mots : « oui ! », « non », « j'aime », « j'aime pas ! », « chic », « je veux », « tout de suite ! »... Ses gestes et attitudes : rit, pleure, saute, bat des mains, bâille, se gratte, s'étire, regard brillant qui reflète les sentiments vécus, voix haute, énergique...

1. La plupart des théoriciens de l'A.T. ne considèrent pas le Petit Professeur comme un état du moi fonctionnel, mais comme une instance interne dont l'énergie est utilisée soit pour maintenir les relations internes du P.A.E., soit pour pressentir les êtres autour de lui sans se manifester directement sur le devant de la scène.

2

P., A. ET E. AU NIVEAU INTRAPSYCHIQUE
(dans leurs relations entre eux)

L'A.T. considère donc que toute personne quelle qu'elle soit, quels que soient son âge, son sexe, sa race, son niveau d'intelligence, a trois états du moi : un Parent, parce qu'elle a eu des Parents (ou des substituts parentaux) pour s'occuper d'elle dans son enfance ; un Adulte, parce qu'elle a été soumise à la réalité du monde extérieur, qu'elle en a retiré des informations transmises par ses cinq sens, et qu'elle les a structurées ; un Enfant, parce qu'elle a été un jour un petit enfant et qu'elle a vécu des émotions premières et éprouvé des sentiments plus ou moins complexes au contact du monde et des autres.

Ces trois « personnages » : le Parent, réservoir des messages parentaux, chargé de rassurer, de prendre en charge, de faire observer la règle, de récompenser et de punir ; l'Adulte, qui traite l'information et gère le réel ; l'Enfant, qui réagit émotionnellement aux choses et aux gens, cohabitent en nous et donc entretiennent des relations entre eux. Ils ont également des rapports avec les Parents, les Adultes et les Enfants qui les entourent. L'A.T. est un instrument qui permet, s'il est bien utilisé, d'analyser, de comprendre et de changer, si nécessaire, les relations qu'ont entre eux et avec les autres le Parent, l'Adulte et l'Enfant.

Les rapports internes et les relations extérieures du

P.A.E. sont étroitement liés. Le comportement d'un individu avec les autres dépend en grande partie de l'organisation de son P.A.E., inversement ce qu'il reçoit de l'extérieur peut influer sur les relations internes de son P.A.E.

Il est préférable cependant d'examiner successivement chacune des faces de cette même pièce. Je propose [1] de commencer par la face cachée : celle des relations de P., de A. et de E. au niveau intrapsychique.

Un bon moyen de comprendre les relations entre nos états du moi est de développer une analogie descriptive du type de rapports que peuvent avoir entre elles trois personnes distinctes, appelées à vivre sous le même toit. Pour la commodité de la démonstration, nous les avons baptisées P., A. et E.

Tout semble aller pour le mieux, P., A. et E. ont le même objectif

Il arrive que les trois états du moi d'une personne aient des relations harmonieuses. Dans ce cas, le Parent approuve ce que fait cette personne et la façon dont elle le fait. L'Adulte a assez de capacité et d'informations pour mener à bien sa tâche. L'Enfant se sent en sécurité, libre d'exprimer ses sentiments et de les vivre. Cette harmonie peut être passagère ou durer plusieurs années, voire toute une vie.

Nous pouvons reconnaître des manifestations de cette harmonie en nous ou autour de nous.

C'est le cas pour Marie. Elle a grandi dans un foyer uni et heureux. Elle s'est mariée à vingt ans. Elle abandonne sans

1. Cette proposition n'est pas une simple figure de rhétorique. On pourra, si on le souhaite, inverser l'ordre des parties et commencer par celle sur les relations du P.A.E. avec les autres P.A.E.

regrets de vagues études de droit pour se consacrer à son mari puis aux trois enfants qu'elle met au monde. Elle est efficace dans son travail quotidien qu'elle sait organiser. Elle aime son mari. Ils ont des rapports sensuels et sexuels assez réussis. Ses enfants la ravissent, elle aime jouer et rire avec eux. Ainsi son Parent, son Adulte et son Enfant sont-ils en harmonie. Ses enregistrements parentaux assignent à la femme le rôle d'une bonne épouse et d'une bonne mère de famille. Son Enfant s'épanouit dans ce climat sûr et familier qu'il a déjà connu dans ses jeunes années. Son Adulte est efficace et organisé face aux problèmes que rencontre tous les jours une maîtresse de maison, mère de trois enfants. Marie se dit heureuse et sans doute l'est-elle.

Robert nous offre un autre exemple d'union entre les trois états du moi. On lui a proposé une affaire commerciale financièrement intéressante à condition de s'entourer des précautions nécessaires. Cette affaire implique qu'il ait des contacts suivis avec différentes personnes. Pour le Parent de Robert, la réussite financière est une valeur respectable, ainsi que la réussite sociale. Son Enfant a grand plaisir à manipuler l'argent, il a un grand pouvoir de séduction, il aime les rencontres et les échanges. Bien informé, son Adulte est capable de saisir les données de problèmes commerciaux et de les traiter le mieux possible. Robert, qui accepte cette proposition, a le maximum de chances de la mener à bien. La satisfaction et l'accord de son Parent, l'efficacité de son Adulte et le plaisir de son Enfant auront un effet synergique qui augmentera les chances de succès de l'action entreprise, en même temps que Robert se sentira heureux de le conduire.

La plupart d'entre nous voyons, à des moments plus ou moins longs ou dans certains domaines de notre vie, s'opérer cette harmonie entre nos trois états du moi. Ces domaines varient en fonction de l'histoire de chacun. Pour l'un ce sera quand il est dans son laboratoire, pour l'autre debout devant le tableau noir, dans son rôle d'instituteur, pour un troisième quand il se donne à sa tâche de soigner les malades, et pour un autre quand il est engagé dans une action militaire ou militante...

Certaines pourront dire, parlant de Marie : « Jamais je ne pourrais supporter une vie si monotone ! » et d'autres mépriseront Robert dont « la seule ambition est de gagner toujours plus d'argent ! » Mais les critères d'une vie réussie ne sont pas objectifs et universels. Ils dépendent surtout du contenu du Parent, de l'Adulte et de l'Enfant de chacun.

Le seul inconvénient, mais il est de taille, de cette forme d'accord entre P., A. et E., est que c'est, en général, un accord partiel, sur un objectif précis presque toujours fixé par le Parent.

Ainsi, Marie, que nous avons vue comblée dans son rôle de mère au foyer, risque d'être totalement inefficace, submergée par le désespoir et incapable de faire face à la situation, si, par exemple, elle apprenait que son mari la trompait. Son Parent pourrait lui reprocher de ne pas avoir su retenir son mari. Son Enfant se sentirait accablé de douleur et de remords et son Adulte perdrait pied et ne serait plus apte à résoudre ce problème. De même, si la pression sociale dans le milieu où vit Marie venait à dénigrer trop fortement le rôle traditionnel de la « bonne épouse et mère », lui proposant un autre modèle parental, cela pourrait devenir difficile à vivre. En effet, un de ses enregistrements parentaux fondamentaux concerne la nécessité pour une femme d'être « comme tout le monde », de se faire accepter, de ne pas s'opposer à ce qui est couramment admis.

Ainsi partagée entre des messages contradictoires et également contraignants, Marie risque de voir mis en péril l'équilibre et l'harmonie de son P.A.E. Doit-elle obéir au message parental : « Sois comme toutes les jeunes femmes de ton milieu, c'est-à-dire aujourd'hui : envisage de chercher du travail, plains-toi de l'inégalité de l'homme et de la femme, demande à ton mari de t'aider dans tes tâches ménagères, etc. » ? Ou doit-elle suivre la voix également autoritaire qui lui dit : « La place d'une femme est à son foyer, le plus important c'est de rendre ton mari et tes enfants heureux, etc. » ? Marie vit cette situation dans le malaise et dans la confusion. Son Enfant se sent coupable de ne pas obéir à l'un des messages en suivant l'autre, et son Adulte n'est pas assez autonome pour faire la part des choses et pleinement assumer l'une ou l'autre solution.

Quant à Robert, qui est si efficace et équilibré sur le plan professionnel, il apparaît qu'il rencontre beaucoup de difficultés dans sa vie familiale. Il ne peut pas s'empêcher d'être surtout dans un rôle de Parent Critique, plutôt négatif avec sa femme et ses enfants qui s'éloignent de lui et avec qui il a beaucoup de mal à communiquer.

Aussi, le but d'une intervention en A.T. n'est-il pas de remettre le P.A.E. en harmonie, réinsérant la personnalité dans le cadre étroit que lui ont tracé ses enregistrements parentaux.

Le travail consiste à faire réexaminer par l'Adulte de la personne le contenu de son Parent, pour garder ce qui lui est une aide et remettre en cause ce qui constitue un frein à l'épanouissement de sa personnalité, à l'expression des sentiments et des désirs de son Enfant, à sa marche vers l'autonomie.

Il n'en reste pas moins vrai que, pour chacun d'entre nous, n'importe quelle forme de coopération entre nos trois états du moi est préférable à des relations conflictuelles qui mettent en danger notre équilibre interne. En effet, si P., A. et E. entrent en conflit ouvert, cela entraîne une crise personnelle très difficile à vivre.

A. prend la situation en main

Lorsqu'une telle crise éclate, il existe plusieurs manières d'y faire face. La plus satisfaisante consiste à confier à l'Adulte le soin d'arbitrer la situation. A. est en effet la partie de notre moi qui est capable d'entendre à la fois la voix de P. et de E. et de tenir compte, en même temps, de la réalité objective à laquelle il faut faire face. C'est le plus lucide et le plus objectif des trois états du moi. Il a deux alliés dans la place, le Parent Nourricier positif, qui va permettre à l'Enfant Naturel d'exprimer ses vrais besoins, peurs et désirs, et le Petit Professeur (l'Adulte dans l'Enfant), s'il peut mettre son intuition créative à son service. Si A. est reconnu comme leader, il a les meilleures chances de débrouiller au mieux la situation, de rétablir l'équilibre interne un instant compromis et de résoudre la crise. Ce faisant, il consolide sa position et augmente les possibilités qu'il soit fait appel à lui lors d'une prochaine crise. C'est-à-dire, qu'en fin de compte, la personne se sent plus sûre d'elle et consciente de ses propres capacités et ressources.

L'exemple de Nadine illustre une telle démarche. Nadine est une femme encore séduisante, de cinquante-cinq ans. Elle a réussi une carrière très brillante dans la publicité. Elle a été mariée de vingt-cinq à trente-cinq ans, elle n'a pas eu d'enfants et a fait porter l'essentiel de son énergie créatrice sur son travail. Elle est pleinement heureuse de sa réussite professionnelle. Elle a eu une vie sentimentale et sexuelle faite de hauts et de bas, mais dont le bilan est à ce jour plutôt positif. Elle a beaucoup d'amis et d'amies. Elle se trouve bien dans sa peau. Cependant, depuis quelque temps, elle a l'impression que tout ne va plus aussi bien. Elle a une jeune et jolie assistante aux dents longues qui visiblement brigue sa place. Elle a l'impression, plus ou moins fondée, que la direction essaie de la mettre « sur la touche ». Cette impression lui est confirmée le jour où elle apprend que c'est son assistante qui a été choisie pour aller traiter aux États-Unis un marché très important pour l'entreprise qui l'emploie. Nadine a l'impression de sombrer ; elle se sent dépassée par les événements. Son Parent, dont les quelques tentatives antérieures de reproches avaient été couvertes par le bruit de ses succès professionnels, prend sa revanche. Il lui rappelle qu'il lui avait toujours dit qu'elle n'avait pas à se mêler d'entreprendre une carrière d'homme si elle n'était pas capable de la réussir. Son Enfant Adapté est malheureux, il se sent rejeté, exclu, il renchérit sur les propos du Parent avec des « à quoi ça sert tout ça », « que vais-je devenir maintenant ? »... Son Enfant Naturel a envie de tout casser dans la boîte. Quant à son Adulte, il a bien du mal, pour le moment, à faire entendre sa voix et à prendre en main la situation. Face à cette crise, qu'elle vit douloureusement, Nadine décide de prendre trois jours de retraite à la campagne, loin de son lieu de travail, et de faire le bilan de la situation. Là elle pourra réfléchir posément et prendre les décisions qui s'imposent. C'est une méthode que Nadine a déjà expérimentée quand elle se trouvait confrontée à un problème difficile à régler pour elle. Là, dans le calme de sa retraite, déconnectée de son environnement habituel, elle peut mieux mettre en œuvre son Adulte – que Nadine qui n'a pas fait d'A.T. appelle mon moi tranquille – qui est solide et qui a déjà eu l'occasion de faire ses preuves. Il dresse un bilan de la situation de Nadine, sans dévalorisation (tout ce que j'ai fait ne sert à rien, on peut me remplacer par la première venue), ni survalorisation (ils ne peuvent rien sans moi, c'est moi qui fais tout dans cette maison). Il constate que sans doute Nadine aurait pu mener cette négociation au moins aussi bien que son asssistante. Mais que si celle-ci a été nommée à sa place, c'est pour préparer la relève, parce que Nadine arrive à un âge où il lui faut songer à décrocher. C'est cette vérité-là que Nadine a du mal « à avaler » et c'est cet événement-là qui est chargé de la lui rappeler. En fait, la détresse de Nadine vient plus de sa prise de conscience que le temps passe et qu'elle vieillit, que d'avoir été exclue de cette négociation. Mais Nadine sait aussi qu'elle a encore beaucoup de choses intéressantes et constructives à faire, aussi bien dans son entreprise qu'à l'extérieur. Elle a du temps devant elle pour préparer sa retraite et la réussir. Elle devrait peut-être reconsidérer avec plus d'attention la proposition que lui fait depuis plusieurs mois un de ses collègues d'ouvrir avec lui un atelier de développement de photos publicitaires, l'un des hobbies de Nadine. Finalement cet événement lui aura peut-être mieux permis de préparer son avenir. Mais il ne s'agit pas de faire contre mauvaise fortune bon cœur et Nadine sait qu'elle en veut encore à son assistante, elle ne se promet ni de se montrer tout sucre tout miel pour elle ni de lui faciliter outre mesure la tâche. Elle a mesuré également l'intensité de sa colère envers son entreprise à laquelle elle s'était tellement identifiée. Sans doute se montrera-t-elle plus attentive aux revendications et aux critiques de ses collègues et subordonnés que jusqu'alors elle avait tendance à considérer comme de simples mouvements de mauvaise humeur, sinon de mauvaise foi. Pour elle toutes les difficultés ne se sont pas aplanies comme par enchantement, mais Nadine sort plus sereine de ces trois journées passées dans sa retraite campagnarde à faire le point. Elle a maîtrisé son tumulte interne : elle est prête à faire face à la situation. Elle ne se sent plus le jouet manipulé des événements, mais un partenaire actif de sa propre évolution. Elle illustre la façon dont l'Adulte d'une personne peut régler un conflit entre ses trois états du moi.

P. ou E. manipule et influence A.

Malheureusement, nous devons reconnaître que la solution décrite plus haut n'est pas la plus fréquemment utilisée. Elle est possible si la crise n'est pas trop grave et surtout si la personne concernée a un Adulte solide. Sinon, à défaut d'une intervention thérapeutique – et même parfois malgré une intervention thérapeutique – d'autres processus sont mis en œuvre. Ils visent à rétablir entre P., A. et E. un équilibre plus ou moins stable, plus ou moins satisfaisant, mais toujours préférable à l'état de crise aiguë qui peut, tant qu'elle dure, sembler menacer d'éclatement la personnalité tout entière, puisque P., A. et E. sont obligés de vivre ensemble. C'est alors le Parent et l'Enfant Adapté qui entrent en scène, guidés par le Petit Professeur (qui peut mettre son énergie à leur service ou à celui de l'Adulte). Ces deux états, ne l'oublions pas, ont été constitués antérieurement à l'Adulte et il a toujours du mal à combler son retard. Ils réagissent de façon rapide et quasiment automatique à une menace, alors que l'Adulte doit peser le pour et le contre (surtout si l'énergie du Petit Professeur est utilisée à confirmer des décisions anciennes [2]). Leur autorité s'impose par la force de l'habitude et de l'ancienneté, celle de l'Adulte doit être librement reconnue. De plus, P. et E. ont entre eux des relations privilégiées et archaïques qui datent de l'époque où P. était encore à l'extérieur et tout-puissant et expliquait à E. où étaient le bien et le mal et ce qu'il fallait faire pour se faire accepter, reconnaître et aimer. Ainsi, chez de nombreuses personnes, quand une crise menace l'équilibre entre P., A. et E., de vieux réflexes jouent, faisant que le Parent et/ou l'Enfant Adapté tentent de la résoudre à leur manière. Ils ont à leur disposition un certain nombre de moyens pour le faire, qui sont choisis en fonction de l'histoire personnelle de chacun, de la façon dont il a ou non résolu des crises antérieures, de la gravité et de l'éventuelle « répétitivité » de la crise, etc.

Une des façons qu'ont P. et E. de s'en sortir consiste souvent à manipuler ou à influencer A. pour le mettre à leur service. Il s'agit là de ce que l'A.T. appelle la contamination des états du moi et plus précisément la contamination de l'Adulte par le Parent ou par l'Enfant. Dans le cas de la contamination de A. par P., l'Adulte est mis au service du Parent pour prouver, justifier et démontrer la justesse de ses préceptes et de ses principes et régler la crise en assurant le pouvoir de P. C'est le cas en particulier à chaque fois que l'évolution du monde où nous vivons risque de menacer notre équilibre interne en remettant en cause nos enregistrements parentaux. Le Parent réagit alors en utilisant les

2. Cf. chapitre sur le scénario.

capacités de l'Adulte pour prouver que ses principes sont toujours valables. Cela se rencontre lorsqu'on utilise des arguments pseudo-scientifiques pour démontrer la validité d'un préjugé qui prend sa source dans notre culture ou dans notre éducation. L'homme qui a une vision bien ancrée, transmise par son environnement et qu'il a faite sienne, du rôle de la femme et de ses capacités, utilisera beaucoup d'énergie, si ce rôle est remis en cause, pour démontrer par A plus B, en s'appuyant sur des preuves matérielles (poids du cerveau, structure morphologique, etc.) et historiques, que l'infériorité ou l'inégalité de la femme n'est pas affaire de préjugés, mais bien réalité « objective ». Il rétablira ainsi le poids de son Parent, un instant menacé, dans son équilibre interne. Celui qui aura des enregistrements parentaux particuliers sur le statut des Noirs (ils sont paresseux) ou des Juifs (ils sont intelligents et ambitieux) utilisera de même son Adulte pour maintenir les préjugés de son Parent. Le processus est bien connu. Des ouvrages « scientifiques » ont jalonné l'histoire qui démontrent par A plus B l'inégalité des races, l'infériorité des femmes, l'incapacité des ouvriers à gérer leur propre destin, l'inaptitude des pays sous-développés à prendre en main leur sort. Il est très difficile de distinguer l'Adulte contaminé par le Parent de l'Adulte tout court. Un Adulte contaminé pourra de la même façon écrire des livres démontrant l'égalité des races, la supériorité des femmes, la maturité des ouvriers ou des gouvernants des pays sous-développés. Il ne s'agit pas tant du sujet traité que de l'esprit dans lequel il est traité. Une démarche démonstrative est suspecte d'émaner d'un Adulte sous influence parentale, lorsqu'elle est apparemment déductive, mais qu'elle est menée dans le seul but de prouver une théorie déjà établie à l'avance. Elle part d'un *a priori* et il ne s'agit pas de le contredire. Elle progresse en sélectionnant soigneusement les indices qui viennent étayer sa thèse et en éliminant tous ceux qui tendraient à la battre en brèche.

Contrairement à l'Adulte qui est ouvert aux contre-arguments et prêt à les entendre pour les réfuter ou les intégrer, l'Adulte contaminé par le Parent supporte très mal qu'on essaie de contredire ses thèses, il réagit en s'emportant, voire en se fâchant, contre son interlocuteur. Parti pour défendre une idée, on a l'impression qu'il en vient à se battre pour sa propre existence et, d'une certaine manière, c'est un peu le cas. Il défend la place respective de chacun de ses états du moi ; il confirme la vérité de ses enregistrements parentaux ; il préserve l'équilibre de son P.A.E.

L'Adulte contaminé par le Parent ne s'exprime pas seulement dans de grandes théories pseudo-scientifiques, ou par l'intermédiaire d'ouvrages « savants ». Il s'entend dans la vie de tous les jours. Un des meilleurs moyens d'en faire prendre conscience une personne au cours d'un travail thérapeutique est de lui poser la question « Pourquoi ? ». Il ne s'agit pas là du pourquoi agressif du Parent Critique ou du pourquoi plaintif de l'Enfant Adapté, mais du pourquoi naïf de l'Enfant Libre, tel que le posent les petits enfants de trois et quatre ans à des parents souvent embarrassés ou agacés par cette question. Le « pourquoi ? » du jeune enfant perturbe parce qu'il remet en question les enregistrements parentaux, oblige à s'interroger sur les faits considérés comme acquis. Et c'est ce même « pourquoi ? » qui, posé à bon escient, peut aider à décontaminer l'Adulte. La personne a alors deux possibilités : se réfugier dans un Parent avoué, « Parce que c'est comme ça », ou accepter de mettre son véritable Adulte à l'œuvre. Dans le flot des paroles prononcées par un interlocuteur, l'auditeur attentif saisira plusieurs occasions où sous un discours apparemment Adulte le Parent glissera ses propres préjugés. Cela concerne aussi bien des informations sur la meilleure façon de dresser une table, ou sur l'organisation optimale d'une réunion de travail, ou sur le système éducatif le plus performant, etc.

C'est ainsi qu'un jour une mère de famille m'expliquait à quel point son mari et ses enfants avaient peu d'occasions de communiquer. Elle trouvait cela désolant et son époux le regrettait autant qu'elle-même. Elle m'exposait la situation de façon très claire et poursuivant sur le même ton, en apparence Adulte, elle me dit : « Mon mari rentre le soir vers huit heures et demie et ne peut pas voir ses enfants qui doivent être couchés à huit heures... » Je l'interrompis avec un simple « pourquoi ? » très sincèrement interrogatif. Ce pourquoi la laissa un instant décontenancée. Elle aurait pu réagir en disant, depuis son Parent Normatif, une phrase telle que : « Mais vous savez bien que les enfants ont besoin de douze heures de sommeil ! » Ce ne fut pas le cas, et elle me répondit en souriant : « Ah, mais je ne sais pas, j'ai toujours pensé que cela valait mieux pour eux, mais en fait ils ont peut-être plus besoin de voir leur père que de se coucher tôt ! »

En ce qui concerne la contamination de l'Adulte par l'Enfant, elle a lieu, le plus souvent, lorsqu'une personne se trouve dans une situation où elle risque d'être confrontée aux craintes, aux angoisses, voire aux terreurs de son Enfant. E. se sert alors de A. pour qu'il l'aide à éviter la situation redoutée. C'est une démarche qu'utilisent souvent les phobiques. Une personne qui craint la foule, le contact avec les autres, choisira – si elle en a la possibilité – de vivre loin de la ville, dans une retraite précoce, justifiant son choix par des remarques apparemment frappées au coin du bon sens, sur les méfaits de la pollution, du bruit, etc. Alors que son but réel est d'éviter le plus possible les situations où son Enfant risque de se sentir mal à l'aise, voire angoissé. De même, quelqu'un qui a peur de prendre l'avion répondra à un collègue qui lui propose ce moyen de transport pour aller rencontrer un client à l'étranger : « Ah non, je préfère prendre le train, cela me laisse plus de temps pour préparer mon intervention, de toute façon, le temps mis pour se rendre à Roissy et de l'aéroport d'arrivée au lieu du rendez-vous est presque aussi long que le voyage en train, d'ailleurs la dernière fois que je voulais prendre l'avion, je l'ai raté à cause d'un embouteillage sur le chemin d'Orly (tiens, tiens), etc. » Ici encore, nous voyons un

Adulte contaminé par l'Enfant à l'œuvre. Les exemples de contamination de l'Adulte par l'Enfant abondent. C'est Alain qui a eu une enfance très traumatisée par la guerre, sa seule crainte est d'en vivre une autre et pour être prêt à y faire face, si elle devait se produire, il lit les journaux en y cherchant les preuves et les indices de l'imminence d'une troisième conflagration mondiale.

Jane, elle, peut vous démontrer par A plus B que si elle met sa robe bleue, celle avec des fleurs, il ne lui arrive que des choses positives, etc. La superstition est une des formes de contamination de A. par E. Poussée à l'extrême, celle-ci peut mener à certaines hallucinations auditives ou visuelles. Le but est alors de donner une réalité tangible, un support matériel, à des angoisses qui émanent de l'Enfant.

Pour libérer A. de l'emprise de E., la solution ne consiste pas, pour le thérapeute, à demander comme précédemment : « Pourquoi ? » car alors l'énergie du Petit Professeur du patient ne peut pas l'aider, elle est tout entière consacrée à protéger par ses astuces l'Enfant inquiet. Une des meilleures choses à faire est de l'aider à prendre conscience de ses sentiments rèels. Le thérapeute met en œuvre son Parent Nourricier et permet au patient d'exprimer ses sentiments, ce que l'Enfant n'a souvent pas le droit de faire. Cela lui fait prendre conscience de leur existence, de leur intensité et de leur réalité séparée de faits extérieurs objectivement non traumatisants. Le lien de ses sentiments négatifs avec l'histoire personnelle du patient peut être fait et ces sentiments traités dans ce contexte.

Récemment, je travaillais avec une personne dont la conviction était : « Lorsque je parle avec les gens, que je me laisse aller, je leur donne des armes contre moi. » Elle témoignait là d'une peur de son Enfant qui contaminait son Adulte, l'empêchant de réellement voir les gens en face d'elle. Un travail sur son histoire personnelle, qu'il serait trop long de décrire ici, révéla que dans son enfance, elle avait eu à porter le lourd secret de la judaïcité de sa mère à l'époque de la Seconde Guerre mondiale. Elle devait garder ce secret qu'elle était seule avec son père et sa mère à connaître dans un petit village où ils étaient réfugiés. Chaque parole était alors lourde de sens et il lui était interdit de se laisser aller. Son Enfant avait besoin de revivre cette peur et d'apprendre que la « guerre était finie », ce que, d'une certaine manière, il n'avait jamais su, pour ne plus se servir de son Adulte en vue de justifier sa peur et de se protéger des autres.

Pour en finir avec la manipulation de l'Adulte, notons que A. peut être au service à la fois de P. et de E. Prenons l'exemple d'une personne dont un des enregistrements parentaux est : « On ne peut faire vraiment confiance à personne ! » En même temps, son Enfant a peur de s'approcher des autres, de leur exprimer des sentiments et d'être rejeté par eux. A chaque fois qu'il risque de se trouver dans une situation d'intimité avec autrui, P. et E. se servent de A. pour démontrer que « Je n'ai rien de bon à attendre de cette personne, de toute façon ses intentions sont louches, d'ailleurs, il y a un an j'ai entendu dire qu'il avait joué un sale tour à Untel, je ferais bien de m'en méfier, etc. » ! Ainsi les principes de P. sont justifiés et E. est protégé. L'accord entre P., A. et E., tout boiteux et tout objectivement néfaste pour la personne qu'il soit, peut continuer comme devant, sans être remis en cause par un élément extérieur.

SCHÉMAS DES DIFFÉRENTES FORMES DE CONTAMINATION

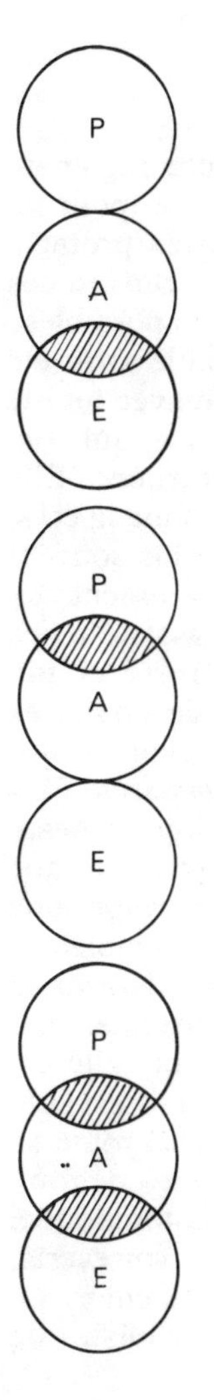

Contamination de l'Adulte par le Parent : le Parent utilise l'Adulte pour l'aider à prouver que ses enregistrements sont bien fondés, ainsi son rôle dans la structure interne n'est pas remis en cause.

Contamination de l'Adulte par l'Enfant : l'Enfant utilise l'Adulte pour justifier ses craintes et ses angoisses et éviter que celles-ci ne se révèlent et ne remettent l'Enfant face à un traumatisme ancien où le Parent n'a pas pu l'aider.

Double contamination de l'Adulte par le Parent et par l'Enfant : l'Adulte est utilisé pour justifier les messages parentaux et les craintes de l'Enfant qui en découlent. Il aide à maintenir les relations originelles de P. et de E.

E. règne en maître

Un autre moyen dont P. et E. disposent pour régler un conflit entre eux ou avec A. consiste à faire taire, pour un temps plus ou moins long, un ou deux des trois protagonistes. Il s'agit de ce qu'on appelle en A.T. l'exclusion des états du moi. Toutes les combinaisons sont alors possibles.

Quand E. exclut P. et A., toute la scène semble avoir été laissée à l'Enfant, presque toujours et presque avec tout le monde. C'est là une éventualité relativement rare, qui concerne des personnalités très gravement perturbées. Elle peut aussi se produire de façon temporaire, lorsque la crise devient très menaçante, mais alors il s'agit le plus souvent d'une crise rappelant une crise initiale particulièrement violente. Par exemple, toute petite, Jacqueline a assisté à des scènes terribles qui mettaient aux prises sa mère et son père. Quand celui-ci avait bu, en particulier, il devenait très violent, hurlait et battait sa femme, ameutait les voisins. Au bout de quelques années ses parents se sont séparés. Plus tard sa mère s'est remariée avec un homme bon et beaucoup plus calme et Jacqueline ne voyait plus son père que de loin en loin. Mais il lui est resté de la première période de sa vie une terreur incontrôlable des cris et de la violence. Quand elle est confrontée à une explosion de colère de la part d'un de ses proches, elle se recroqueville littéralement, elle tremble, ses yeux s'agrandissent de terreur, elle est incapable de parler, encore moins de raisonner, elle est submergée par la peur, l'état du moi Enfant envahit toute sa personnalité, tandis que le Parent et l'Adulte sont « débranchés ». La réaction de Jacqueline est quasi automatique. Devant une agression mineure, emportement, voire cris, qui chez d'autres n'aurait provoqué qu'irritation, colère ou indifférence, elle revit ses terreurs d'enfant et « choisit » de laisser son Enfant faire face à la situation. Toute petite, elle réagissait depuis cet état du moi. Ses sentiments étaient violents, son Adulte encore peu solide ne pouvait prendre le risque d'essayer de comprendre ce qui se passait entre ses parents. Quant à son propre Parent il ne pouvait ni la prendre en charge ni intervenir en arbitre de la situation, il n'avait pas d'enregistrements sur ce qu'il fallait faire dans ce cas. De plus, sa peur et ses pleurs étaient parfois un moyen pour que ses parents n'aillent pas trop loin et s'occupent de la calmer. Aujourd'hui, P. et A. continuent à laisser le soin à E. de faire face à ce qui est pour eux une crise majeure. A. n'a pas d'informations sur ce qu'il convient de faire et P. ne sait pas comment réagir. La réaction violente de Jacqueline conduit d'ailleurs, en général, celui qui s'emportait à se calmer, à baisser le ton, à se sentir vaguement coupable de l'effet qu'il a produit et à chercher à la rassurer. Ainsi la boucle est bouclée et le système réactif mis en place par P., A. et E. est confirmé. Tout douloureux à vivre pour Jacqueline, objectivement néfaste et inadapté qu'il soit.

Que la crise première ait conduit à mettre E. définitivement aux commandes, ou qu'elle soit seulement revécue à des intervalles plus ou moins réguliers, elle a souvent été très précoce et traumatisante. La petite personne décide alors de débrancher un Parent, qu'elle perçoit comme incapable de l'aider, manquant de force, sans doute en danger lui-même (lui-même étant dans ce cas la figure parentale majeure qui est la source du Parent de l'Enfant). Cela la conduit à faire taire également son Adulte.

On doit considérer, en effet, que l'Adulte pour se développer a besoin, au début, d'un Parent sur lequel il puisse s'appuyer. Parmi les premières découvertes que fait l'Adulte, un certain nombre concernent l'adéquation des préceptes parentaux à la réalité telle qu'il l'expérimente. Plus il y a concordance entre ces préceptes et l'expérimentation de l'enfant, plus celui-ci peut tranquillement développer l'un et l'autre de ses états du moi. En revanche, si les découvertes de l'Adulte sont en contradiction trop flagrante avec les messages du Parent et, surtout, si l'exercice de l'Adulte risque de faire découvrir des vérités insupportables sur ses parents, le Petit Professeur de l'enfant peut l'amener à décider qu'il vaut mieux « laisser tomber ». Ne plus songer à exercer son Adulte et faire taire le plus possible un Parent frappé d'incapacité, qui ne peut garantir sa sécurité. Cependant, pour l'analyste transactionnel, ce n'est pas parce qu'une personne ne s'exprime qu'à travers son Enfant perturbé, qu'elle a une conduite aberrante, s'enferme dans le mutisme ou s'invente des personnalités différentes, que cela signifie pour autant sa condamnation à ne fonctionner qu'ainsi toute sa vie. Il existe en elle un Adulte et un Parent potentiels, structures pour le moment à moitié vides ou pleines d'éléments que la personne n'est pas prête à affronter et qu'elle a préféré renfermer. Le travail consiste à remettre à jour et au jour, dans un environnement très sûr et avec beaucoup de patience, ces structures. L'exemple le plus fameux d'un tel travail est donné par le Cathexis Institute [3] en Californie où les thérapeutes procèdent au « reparentage » de leurs patients. Allant jusqu'à les adopter légalement pour, dans un processus de régression, leur donner de nouveaux enregistrements parentaux. Il s'agit là d'une « transfusion de Parent » comme on fait une transfusion de sang pour des nouveau-nés dont les parents ont des facteurs rhésus incompatibles.

Pour en finir avec cet aspect de l'exclusion, notons que les décisions prises par une personne d'exclure son Parent et son Adulte ne viennent pas forcément d'une conduite de ses parents que nous considérerions objectivement comme mauvaise pour lui. C'est le Petit Professeur ou Adulte dans l'Enfant qui mène cette affaire. Or, il procède par pensée magique et intuitive et ne dispose pas des éléments objectivement contrôlables pour

3. Cf. *All my children,* Jacqui Lee Schiff, New York. Pyramid Books, 1972.

une telle prise de décision. Il peut, soit pressentir, sous un comportement en apparence correct, des dangers sous-jacents qu'il est seul à deviner, soit s'imaginer, à partir de présupposés objectivement faux, que le Parent est nocif et dangereux pour lui.

P. prend le pouvoir

La seconde forme d'exclusion concerne l'Enfant et l'Adulte, le Parent Normatif restant le seul état du moi au contrôle. Il est rare que le Parent exclusif soit vu à l'action tout le temps, avec tout le monde et dès le plus jeune âge. Une telle exclusion se présente surtout chez des personnes qui ont eu elles-mêmes, dans leur enfance, affaire à des parents autoritaires, voire violents, qui n'admettent pas la réplique et peuvent aller jusqu'à martyriser l'enfant. Celui-ci peut alors adopter une attitude de soumission, de retrait, voire de rébellion, mais en même temps, il enregistre le comportement de ses parents, en espérant bien être un jour à leur place, c'est-à-dire tout-puissant comme eux, soumettre les autres. Prendre sa revanche. En cas de crise, plus tard, la solution que cet individu adoptera sera de se réfugier dans cet état du moi, ce Parent Critique, persécuteur d'autrui. Chaque fois qu'il se trouve dans une situation perçue par son Petit Professeur comme susceptible de le mettre dans la position intolérable qu'il a connue il choisit de prendre le rôle du Parent Critique. Si les crises, ou ce qu'il perçoit comme telles, sont très rapprochées ou si l'une d'entre elles est particulièrement aiguë, il peut arriver à adopter l'état du moi Parent comme son état du moi privilégié. Il entretient alors une relation au monde et aux autres perpétuellement critique. Rien ne lui convient, rien n'est bien, rien n'est comme cela devrait être. Il se réfugie dans la misanthropie, voire la paranoïa. Il va de soi que ce sont de telles personnes (ayant un Parent Critique exclusif) que l'analyste transactionnel a le plus de mal à aider, parce qu'elles s'estiment rarement en faute et ne trouvent pas que quoi que ce soit en elles soit à corriger. Selon elles, il s'agit bien plutôt d'examiner et de soigner les autres. Si le thérapeute arrive à rencontrer de tels patients, par exemple, dans le cadre d'institutions spécialisées, il aura du mal à les aider. Elles estiment qu'elles n'ont aucune raison de lui faire la moindre confiance. Une bonne solution consiste alors – si on en a la capacité – à se montrer d'entrée de jeu un Parent encore plus fort et autoritaire que le patient pour, au moins dans un tout premier temps, le ramener dans une position Enfant. Alors, il est possible de lui prouver qu'on peut accepter et aimer l'Enfant en lui. Que contrairement à ce que lui ont fait croire ses parents, celui-ci n'est ni si méchant ni si coupable qu'il l'imagine. Et qu'il peut le laisser s'exprimer sans risques ni pour lui ni pour les autres.

L'un des trois – considéré comme le plus solide – essuie l'orage

Les deux cas décrits ci-dessus, ceux de l'Enfant Adapté ou du Parent Normatif exclusifs, constituent – si l'exclusion des autres états du moi est quasi totale – des cas pathologiques graves ; ils témoignent d'une structure du moi violemment perturbée par la survenance de crises douloureuses que P., A. et E. n'ont pas eu les moyens de régler ensemble [1]. Cependant, en dehors de ces cas extrêmes, un

1. Nous nous garderons bien d'entrer dans le débat sur l'origine psychologique ou physiologique des troubles psychiques graves. Notons cependant que nous considérons que les deux sont étroitement liés. Aller plus loin dans les commentaires nous entraînerait bien au-delà du cadre de cet ouvrage.

processus similaire peut être mis en œuvre par des personnalités beaucoup moins perturbées. Il ne s'agit plus alors d'états du moi exclusifs, mais d'états du moi préférentiels qui prennent les commandes de façon quasi automatique quand une crise menace. Presque tous les états et sous-états du moi sont aptes à remplir une telle fonction. Le choix de l'un ou l'autre d'entre eux dépend de l'histoire personnelle de chacun, et du type de problème rencontré. L'état du moi qui est alors délégué par les autres est perçu, à tort ou à raison, comme l'état le plus solide, le plus résistant, celui qui peut faire face à la situation, ou, en tout cas, qui en a la plus grande habitude. Une autre démarche proche de celle-ci consiste à exclure temporairement un des états du moi considéré par les autres comme particulièrement faible et inadapté. Il apparaît donc que les possibilités de mise en avant ou en retrait d'un des états du moi sont très nombreuses. Quelques exemples permettront de mieux comprendre comment fonctionne, dans un certain nombre de cas, ce mécanisme.

Claudine participe à un groupe thérapeutique d'Analyse Transactionnelle. On constate que chaque fois qu'un des participants vit des émotions douloureuses, dans une phase de travail difficile, Claudine est prête à lui venir en aide, à le consoler, à le prendre en charge. Si un moment de malaise survient dans le groupe, elle est la première à intervenir pour essayer de « sauver » la situation. De même, elle est toujours prête à voler au secours du thérapeute, si elle a l'impression qu'un des participants met en cause son action. Confrontée par le groupe à son comportement, Claudine reconnaît que c'est pour elle le meilleur moyen d'échapper au malaise qu'elle-même éprouve dans un climat de tension. Dans sa vie hors du groupe, c'est également ainsi qu'elle agit quand elle rencontre une situation qui risque de mettre en cause son équilibre interne. Un de ses enfants est-il préoccupé par des problèmes relationnels avec ses camarades ? Claudine va vouloir à tout prix l'aider, lui donner des conseils, lui expliquer ce qu'il devrait faire pour s'en sortir. Voit-elle son mari fatigué, peu loquace, plutôt déprimé ? Elle se précipite, le couve, lui mitonne son plat favori, insiste pour qu'il voie un médecin, lui demande toutes les cinq minutes comment il se sent, etc. Il est probable qu'en agissant ainsi, Claudine se soucie sans doute moins du bien-être des siens que d'apaiser le sentiment de malaise à base de culpabilité où la mettent les problèmes que vivent ses proches. Claudine fait confiance à son Parent Nourricier pour l'aider à résoudre la situation. Ce Parent Nourricier qui s'exerce à l'égard des autres activement peut alors rassurer l'Enfant de Claudine, atténuer son sentiment de culpabilité en lui disant : « Tu fais vraiment tout ce que tu peux », et rétablir l'équilibre un instant compromis entre ses états du moi. Le Parent Nourricier est, dans le cas de Claudine, l'état du moi préférentiel, reconnu par les autres comme le plus apte à faire face aux situations de crise [4].

Chez certaines personnes, il peut se produire que ce soit l'Adulte qui, en apparence, prenne les commandes quand un grain menace. Il ne s'agit pas alors de cet Adulte intégré que nous avons vu à l'œuvre chez Nadine, l'Adulte qui tient compte des sentiments de l'Enfant et des préceptes du Parent pour traiter de la réalité extérieure. Lorsque A. est exclusif, il fait taire P. et E. et ne veut se préoccuper que des faits « objectifs et mesurables ». Un tel processus est souvent à l'œuvre chez ceux qu'on appelle « les technocrates », personnalités froides, très contrôlées, qui semblent dénuées de sentiments et d'affectivité. Ces personnes considèrent l'Enfant comme dangereux et le Parent comme inutile. Elles ont beaucoup de mal à aider, à soutenir ou à affirmer de quelconques valeurs, elles veulent laisser à chacun, y compris à leurs propres enfants, la « responsabilité » de ses actes. De même, elles ont très peur d'être « accrochées » au niveau de leur Enfant, c'est-à-dire de voir

4. La raison pour laquelle Claudine a fait ce choix est une autre histoire que nous aurons l'occasion d'aborder plus loin dans ce livre.

s'éveiller en elles des sentiments et des émotions qu'elles craignent d'assumer. En fait, ce qui met en péril l'équilibre de leur P.A.E. c'est le risque d'entrer véritablement en relation, à tous les niveaux de leur personnalité, avec autrui. Leur Adulte, froid et objectif, uniquement branché sur l'analyse des faits et des chiffres, est leur meilleur bouclier contre un tel danger.

C'est le cas pour Patrick ; il sort d'une grande école et a gravi rapidement de nombreux échelons de la hiérarchie professionnelle. Il occupe une position importante dans une grande entreprise, il a plusieurs collaborateurs et subordonnés. C'est un bourreau de travail. Rares sont les personnes qui l'ont vu sourire, encore moins rire. Il ne s'emporte jamais. Ne sait prodiguer ni encouragements ni reproches. Il dit à chacun ce qu'il attend de lui, sur le même ton froid, dénué d'émotion. Les réunions qu'il anime sont parmi les plus sinistres. Ses phrases favorites sont : « Venons-en au fait ! » et « Que disent les chiffres ? » Il ne s'agit pas de venir le trouver avec un problème personnel ou des « états d'âme », il refuse de les entendre. Personne n'aime vraiment travailler avec lui. Dans son foyer, les choses ne sont pas plus gaies. Oh ! il n'y a ni cris ni querelles, mais pas non plus de vraie communication ni d'échanges chaleureux. Quand sa femme se permet d'émettre une plainte, il répond : « Je ne comprends pas, ce que vous voulez, toi et les enfants, je ne suis pas un tyran domestique, alors quel est le problème ? » Le problème, pour ces personnes, c'est qu'en agissant ainsi elles ne prennent en compte qu'une partie de la réalité. L'Enfant et le Parent, dont elles nient l'existence aussi bien chez elles-mêmes que chez autrui, n'en existent pas moins et ils viennent interférer avec les constructions abstraites, apparemment parfaites de l'Adulte. Ils l'obligent ainsi à procéder à des reconstructions de plus en plus complexes, mais de moins en moins ancrées dans une réalité qu'il dit vouloir appréhender et dont, en fait, il s'éloigne sans cesse. Pour expliquer le manque de motivations au travail de ses collaborateurs et subordonnés Patrick va trouver des raisons d'une logique parfaite. Il va déclarer que celui-ci a atteint son « niveau d'incompétence », que celle-là est sans doute trop jeune pour le poste qu'elle occupe. Il va souvent bouleverser son organigramme. Mettre celle-ci à la place de celui-là. Envoyer des collaborateurs dans des stages de management, etc. Mais il se refusera surtout d'envisager de changer son style de relations avec eux, de s'intéresser à leurs vrais problèmes, de les soutenir et de les encourager, de se laisser aller à bavarder « juste pour le plaisir », d'utiliser enfin toute la gamme de ses états du moi.

Un autre exemple de mise à l'écart d'un des trois états du moi est donné par les grands escrocs qui ont un Parent assez faible que les efforts conjugués de A. et E. peuvent facilement faire taire. Dans ce cas les désirs de E. (jouer, prendre, avoir des émotions fortes...) ont le droit de s'exprimer et A. met ses capacités à leur service pour réaliser le hold-up ou l'escroquerie du siècle. Si P. un instant réduit au silence ne revient pas trop à la charge, une fois le « coup » réussi ; si E. n'en profite pas pour faire monter les enchères dans une escalade de ses désirs, alors cela se passe relativement bien, bien qu'il faille tenir compte du P.A.E. de la société qui a son mot à dire et va s'employer à essayer de récupérer son bien. Mais, après tout, cela fait partie des risques mesurés par A. et peut-être des émotions que recherche E.

A. regarde et laisse faire sans pouvoir intervenir

L'état du moi préférentiel qui entre en jeu dans les situations de crise n'est pas souvent, loin de là, le plus objectivement capable d'y faire face. S'il le fait c'est, la plupart du temps, parce qu'il en a l'habitude. Une vieille habitude fondée sur une décision précoce du Petit Professeur créée par réactions successives, ou par imitation, consolidée au fil des ans et ancrée dans le comportement de la personne. Les autres états du moi ne sont pas toujours complètement mis à l'écart, souvent l'un ou l'autre assiste en spectateur aux efforts déployés par celui qui est sur le devant de la scène pour les aider à s'en sortir. L'Adulte en particulier est un observateur, souvent critique, de la situation, mais qui n'a pas, ou ne se donne pas, les moyens d'intervenir. Ainsi, d'une femme qui chaque fois qu'elle a des problèmes avec son mari se retrouve dans une attitude d'Enfant, pleurnichant et quémandant son affection, ce qui, elle le sait, ne fait que l'excéder davantage. Ainsi, d'une autre qui, face à sa fille, une adolescente de quatorze ans, ne peut pas s'empêcher, à tout propos, de lui faire des reproches et des commentaires acerbes (sur sa façon de se coiffer, de s'habiller, ses fréquentations...), adoptant le rôle de Parent Critique que – et elle le sait pertinemment – cela ne résout rien, elle n'obtiendra de cette manière, ni des changements dans l'attitude de sa fille ni la meilleure communication entre elles qu'elle recherche sincèrement. Ainsi d'un homme qui souhaiterait tant avoir des amis, savoir s'amuser, être capable de se laisser aller à des plaisirs simples et qui à chaque fois qu'il est présent à une soirée où les gens rient et s'amusent sans complexe, se retrouve au bout de quelques minutes à les juger de haut, méprisant en son for intérieur leurs distractions infantiles, se réfugiant dans un mutisme distant et offrant à tout le monde un visage renfrogné et un air dédaigneux, peu faits pour lui attirer la sympathie de qui que ce soit. Dans ces cas, et dans bien d'autres, chacun se voit agir, tout en sachant pertinemment que ce n'est pas la bonne façon de procéder mais en se montrant incapable d'arrêter un processus qu'il a lui-même déclenché. L'Adulte qui observe la scène, qui sait que ce n'est pas la bonne façon d'agir et parfois même, ce qu'il faudrait faire à la place, est alors perçu par la personne comme son moi réel. Mais son énergie est investie dans son moi actif, c'est-à-dire l'état du moi qui agit, ou plutôt réagit, face à la situation conflictuelle. C'est cet état du moi actif qui alors entre en relation avec les autres, qui est pour eux la personne véritable avec laquelle ils communiquent. D'où – le moi réel étant différent du moi actif – une situation paradoxale, source de quiproquos psychologiques et de discussions ultérieures, à base de « Ce n'est pas vraiment ce que je voulais faire ! », « Tu n'as pas compris ce que j'ai voulu dire ! », « J'ai réagi ainsi malgré moi ! », etc. En fait, le but visé par la personne qui se met dans des situations de ce genre est double : à un premier niveau, elle veut vraiment résoudre le mieux possible son problème, être plus indépendante vis-à-vis de son mari, mieux communiquer avec sa fille, se laisser aller à rire avec des amis. A un niveau plus profond, elle cherche à rétablir un vieil équilibre, à maintenir un vieux rapport de force habituel entre son P., son A. et son E., à confirmer le pouvoir et la place de chacun d'entre eux dans cette trilogie. Bien souvent, le but caché l'emporte sur le but avoué. Pour en sortir, l'A.T. propose une démarche en plusieurs temps qui peuvent d'ailleurs se succéder très rapidement, voire se confondre : Aider la personne à définir très clairement quel est le but vraiment visé. Faire prendre conscience de la dynamique qui se met en marche entre ses états du moi face à une situation de crise. Poursuivre la consolidation de l'Adulte en lui fournissant des informations sur la façon dont la personne peut être perçue, sur les résultats inverses de ceux qu'elle souhaite vraiment, obtenus en laissant de vieux mécanismes agir. Lui proposer d'autres modes de fonctionnement et d'action dans un environnement sûr (le groupe thérapeutique, par exemple) ou face à des crises mineures, pour lui permettre de se rendre compte qu'un autre type de relations entre ses états du moi n'est pas dangereux pour elle. Changer la décision originelle de son Petit Professeur quant aux rapports de force et à l'équilibre de son P.A.E.

Ainsi Anne-Marie qui faisait partie d'un groupe de développement personnel disait : « J'ai envie de m'amuser et de rire avec des amis, mais chaque fois que je suis avec mes copains habituels, nous nous retrouvons en train de nous lamenter sur nos malheurs et nous passons notre temps à nous plaindre de ce qui ne va pas. On sait bien qu'on se complaît là-dedans sans résultats ! » Son contrat était d'abord d'accepter que les membres du groupe ne viennent ni la consoler ni compatir à ses malheurs quand elle commençait à pleurnicher et à se plaindre. En revanche, nous devions la féliciter chaleureusement à chaque fois qu'elle laissait son Enfant Libre s'exprimer et accepter toutes ses transactions Adulte. Son deuxième contrat était – tout en continuant si elle le souhaitait – d'avoir avec son groupe d'amis habituels le type de rapports qu'elle nous avait décrits – de trouver parmi les personnes qu'elle connaissait quelqu'un d'assez chaleureux, décontracté et amusant, et de le voir de temps en temps pour une soirée en tête-à-tête, d'où seraient bannis plaintes et soupirs. Elle pouvait, de cette manière, expérimenter, sans trop de risques, un autre type de relations et prendre conscience de sa capacité à vivre d'une autre manière, avant d'aller plus avant dans son travail personnel.

P., A. et E. se répartissent les rôles

Pour éviter les situations de conflit entre leurs états du moi, certaines personnes peuvent prendre la décision de les cloisonner, c'est-à-dire de distribuer à P., A. et E. des rôles précis auxquels ils doivent se tenir. La structure de leur personnalité offre ce que l'A.T. appelle des frontières rigides entre les états du moi. Ces personnes répartissent leur énergie dans leur P.A.E. d'une façon qu'elles considèrent en général comme la plus opérationnelle. Ainsi, elles seront surtout Parent Normatif avec leurs subordonnés, Parent Normatif et Nourricier avec leurs enfants, Adulte dans leur travail : écrivant ou lisant un rapport, participant à un groupe de recherche, transmettant des informations techniques... Enfant Adapté avec leurs supérieurs, leurs propres parents... Enfant Naturel au cours d'une soirée entre amis, en excursion, en vacances, etc. C'est au sujet de personnes de ce type que l'on peut entendre : « Je l'ai rencontré par hasard à une soirée, je n'aurai jamais cru cela de lui, il peut être très drôle, c'est un véritable boute-en-train... » Ce sont des personnalités aux facettes multiples, mais qui n'en montrent qu'une à la fois adaptée – selon eux – à la situation.

Les personnalités ainsi structurées offrent l'avantage de connaître relativement peu de graves conflits internes. P., A. et E. se tiennent chacun à la place qui leur a été assignée, sans la remettre en cause. Le problème est qu'elles sont souvent perçues comme des personnalités rigides. Elles ont du mal à changer rapidement d'état du moi, donc à s'adapter aux fluctuations des situations et des personnalités qu'elles rencontrent. Elles font preuve d'une sorte de routine relationnelle et manquent d'intuition pour percevoir ce qui se passe autour d'elles et s'y adapter rapidement. Un subordonné n'a pas forcément envie de n'avoir que des relations Parent-Enfant avec son supérieur. Un patron peut souhaiter voir son employé faire preuve d'initiative. Des collaborateurs peuvent avoir besoin de moments de détente et d'intimité au cours d'une journée de travail. Les enfants cherchent à être considérés comme des personnes autonomes. Notre homme aux frontières rigides entre ses états du moi peut difficilement répondre à de telles demandes. En effet, il a du mal à changer d'état du moi et surtout il a le sentiment, plus ou moins fondé, que s'il le fait, il lui sera très difficile de revenir en arrière, que s'il plaisante avec des collègues, ils ne pourront jamais se remettre au travail. Que s'il discute d'égal à égal avec ses enfants, il perdra son autorité de père, etc. Sa façon de rester maître d'une situation consiste à lui garder un caractère familier en s'en tenant, au moins pour ce qui le concerne, au rôle qu'il s'est attribué et qu'il connaît bien pour l'avoir longuement expérimenté.

P., A. et E. se bousculent au portillon

Les frontières entre les états du moi peuvent être, comme nous l'avons vu, très rigides. Il arrive à l'inverse qu'elles soient extrêmement lâches. Dans ce cas P., A. et E., au lieu de se répartir soigneusement les rôles, se passent sans arrêt les commandes comme si aucun d'eux ne se sentait vraiment capable de prendre les choses en main. Cela ne se produit pas obligatoirement tout le temps, mais survient chaque fois qu'existe une situation de tension. Alors P., A. et E. se succèdent tellement vite, tant au niveau intrapsychique que comportemental, que la personne elle-même et l'observateur extérieur ont du mal à saisir ce qui se passe, qui parle, voire de quoi on parle. C'est le cas en thérapie quand, par exemple, un patient se plaint de quelque chose, se reproche le ton qu'il utilise, prend conscience de son comportement, rit de ce qui lui arrive, ce qui fait rire les autres, prend ombrage de ce rire général, accuse les participants de se moquer de lui, a honte de sa propre colère, termine dans la confusion et se tait, rouge et embarrassé, le tout en l'espace d'une minute. C'est également le cas d'un père qui, excédé par le bruit que font ses enfants, leur crie de « bien vouloir se taire », et à peine le silence obtenu remarque : « Après tout, je ne vois pas pourquoi je vous empêcherais de vous amuser ! », reprend quelques secondes plus tard devant le chahut revenu : « Mais, soyez assez sympas, n'en profitez pas pour tout casser ! », ce qui n'empêche pas le bruit de se poursuivre et conduit le mari à se plaindre à sa femme : « Je t'en prie, viens voir un peu ce qui se passe, ils sont insupportables ce soir ! » C'est toujours le cas pour une personne qui a décidé de se mettre au travail, pour finir de rédiger un texte important. Elle n'a nulle envie de le faire et bâille devant sa page. Elle se fait des reproches sévères et commence à s'organiser. Elle bâille à nouveau, décide de s'accorder une petite récréation en téléphonant à un ami. Dès qu'elle l'a au bout du fil, elle déclare : « Je ne peux pas te parler longtemps, j'ai du travail. » Elle raccroche tout de suite, se remet à sa table, s'exhorte au travail, par un « Allons ! Allons ! ne lambinons plus ! » bien senti. Se retrouve en train de rêvasser, etc. Dans tous ces cas, nous avons vu le Parent, l'Adulte et l'Enfant se succéder très rapidement sur le devant de la scène. Chacun d'eux essaie pendant un court instant de faire face à la situation, puis cède très vite son rôle à un autre qui reproduit le processus. Un tel comportement est générateur de confusion aussi bien chez la personne qui le vit que chez ses interlocuteurs.

P., A. et E., ces trois instances du moi qui coexistent en chacun de nous, aménagent donc leurs relations selon des schémas complexes et diversifiés. Il leur arrive de vivre en harmonie. Il leur arrive également de rencontrer des problèmes et des conflits qu'elles traitent comme elles le peuvent. En cherchant à s'influencer mutuellement, en s'excluant les unes les autres, en se liguant à deux contre un, en se répartissant les rôles, etc. Elles ont également la possibilité de réagir autrement que par une sorte de « réflexe conditionné ». Elles donnent à A. la chance de se faire entendre et de régler le conflit en tenant compte des intérêts de chacune d'entre elles aussi bien que de la réalité extérieure. Ces différents modèles réactifs intrapsychiques ne s'excluent pas tous mutuellement. Ils peuvent varier en fonction du type de crise rencontré, de nos partenaires dans cette crise, du cadre où elle se situe, de notre évolution personnelle, etc. Cependant, la plupart d'entre nous ont un mode de réaction préférentiel, une sorte de « position de repli » habituelle, dans laquelle on a tendance à se réfugier, si vraiment la crise est particulièrement menaçante.

En fait, nous disposons, avec l'ensemble de nos états et sous-états du moi, d'une gamme très complète de réactions, de comportements, de sentiments, d'attitudes, qui, si elle était utilisée dans toute son ampleur, nous permettrait de moduler les airs les plus subtils, les plus variés, les plus raffinés et les mieux adaptés aux différentes circonstances de notre vie. Le problème est que souvent nous jouons les mêmes vieux airs, sur le même ton habituel, à la suite d'une crainte inculquée, excessive et objectivement non motivée, des fausses notes, voire de la cacophonie.

Apprendre à retrouver l'harmonie en nous, à entendre la voix émouvante et prenante de notre Enfant Naturel, à percevoir l'écho des craintes et des tourments de notre Enfant Adapté, à reconnaître la basse parfois juste de notre Parent Normatif et le contralto chaleureux de notre Parent Nourricier, à donner la pleine mesure de notre Adulte, accompagné de l'allégresse du Petit Professeur, c'est le but de l'A.T. et peut-être de toute démarche thérapeutique.

3

L'ÉGOGRAMME

Ce chapitre sur l'égogramme se trouve intentionnellement placé à la jonction des parties relatives respectivement aux rapports internes du P.A.E. et à ses relations avec les autres P.A.E. En effet, l'égogramme permet de rendre compte visuellement de la façon dont notre énergie se répartit entre les états et sous-états de notre moi. Mais, il s'agit surtout de nos états du moi actifs, c'est-à-dire, tels qu'ils s'expriment dans leurs relations avec les autres ou avec leur environnement. Créé par John M. Dusay [1] cet instrument d'analyse est un schéma qui visualise le degré d'investissement relatif de nos états du moi.

Chacun d'entre nous a l'occasion, l'habitude, la possibilité, la permission... d'activer plutôt l'un ou l'autre de ses états du moi. Dessiner son égogramme permet de se représenter et de communiquer aux autres notre perception de notre propre mode de fonctionnement. Si on veut changer son comportement et ses relations aux autres, on peut se servir de l'égogramme comme point de départ pour voir quels sont les états du moi qu'on souhaite développer et

1. Cf. John M. Dusay, *Egograms*, New York Harper & Row 1977.

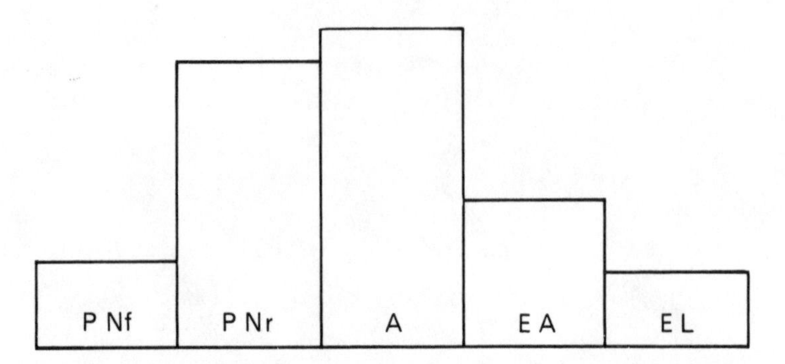

Exemple d'égogramme : la personne qui a cet égogramme exprime surtout son Adulte et son Parent Nourricier. Son Parent Normatif est peu actif et lorsque son Enfant se manifeste il est plus souvent Adapté que Libre.

ceux qu'on aimerait voir moins souvent activés (notons à ce propos qu'il est souvent plus facile et plus opérationnel de commencer par renforcer les états du moi sous-développés que de s'attaquer à désinvestir un état du moi très actif). C'est aussi un instrument d'évaluation de notre propre évolution à intervalles réguliers. Une autre utilisation intéressante de l'égogramme consiste à dessiner le sien propre, en même temps qu'on demande à une personne qui nous connaît — bien ou pas — de le faire pour nous. Il est toujours très instructif et intéressant de pouvoir ainsi confronter la façon dont nous nous vivons et l'image que nous donnons de nous-mêmes aux autres et d'évaluer les éventuelles distorsions. Enfin, cet instrument peut s'adapter à des situations très variées. En effet, chaque individu a un égogramme « global », reflet de son comportement général, du mode de fonctionnement qu'il a le plus souvent l'occasion d'expérimenter. Mais l'analyse peut être affinée par la représentation de différents égogrammes, correspondant à l'évolution d'un comportement face à des situations diversifiées. Ainsi, nous pouvons dessiner pour un individu son égogramme professionnel, son égogramme familial, son égogramme social, etc. L'exemple ci-dessous représente un égogramme « grandeur nature ». Il s'agit du mien propre, tel que je le perçois pendant que je suis occupée à la rédaction de ce livre.

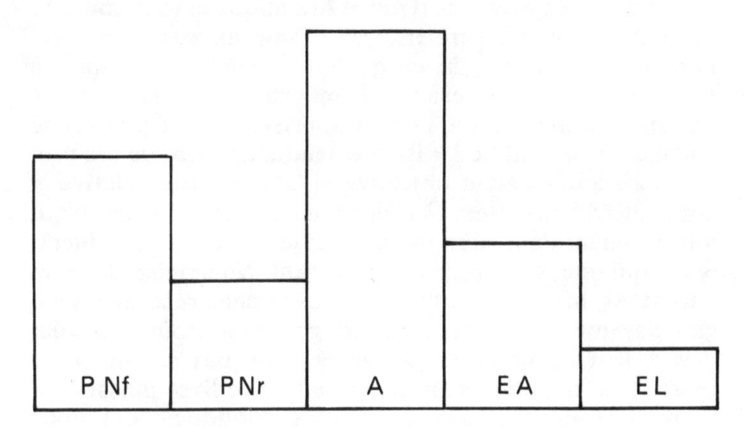

L'état du moi que je considère comme le plus actif dans cette entreprise est l'Adulte. C'est lui qui est à l'œuvre quand je dresse mon plan de travail, quand je réfléchis aux articulations de l'ouvrage, quand je rassemble informations et documents, quand j'organise mon temps, quand je décide de la meilleure façon de présenter tel ou tel point théorique, etc.

Le second – en ordre décroissant sur le schéma – état du moi activé par ce travail est mon Parent Normatif. J'ai, dans mes enregistrements parentaux, un message prégnant sur la valeur du texte écrit, du livre... Malgré une évolution de la communication moderne vers les média audiovisuels, qui bat en brèche un système de valeurs privilégiant l'écriture, c'est celui-ci que l'on m'a transmis et je l'ai fait mien. D'où le sentiment que j'ai de l'importance qu'on doit accorder aux livres, et, pendant que j'écris celui-ci, l'émergence d'un certain nombre de règles de structuration, d'efforts de précision, de conformité à ce qu'est un « bon » livre... que je tente de suivre. C'est également mon Parent Normatif qui prend en considération à la fois le respect d'une théorie venue d'outre-Atlantique et mon souci de l'adapter à un contexte français. Pour me résumer, mon Parent Normatif me dit en quelque sorte : « Attention, tu écris un livre, c'est sérieux et important ! Veille à ne pas déformer la théorie que l'on t'a apprise, mais efforce-toi de l'adapter à ton public ! » Bien entendu, chacune de ces propositions a une valeur objective — Adulte — très relative et pourrait être discutée. Il s'agit pourtant là d'éléments qui interviennent dans mon travail, qui le cadrent et le guident, donc qui me sont utiles. Le versant Nourricier de mon Parent est, lui, moins investi dans cette démarche. Je n'imagine pas que grâce à ces pages les gens vont trouver la solution à leurs problèmes. Je ne cherche pas à donner de recettes de mieux-être, ni ne crois que ce livre puisse être le remède miracle aux problèmes quotidiens qui nous assaillent. Je me contente de transmettre des connaissances que j'ai acquises, libre à chacun d'en faire l'usage qu'il voudra. A ce propos, j'ai le sentiment qu'un certain nombre des ouvrages d'A.T. ou d'autres théories psychologiques qui nous viennent des États-Unis témoignent d'un Parent Nourricier souvent très actif.

Quant à mon Enfant, son énergie, en ce moment, s'investit surtout dans l'adaptation, par la soumission à un ensemble de contraintes, matérielles, techniques, de délais, etc., et par l'acceptation des règles émises par mon Parent. Sans doute à l'origine de cette entreprise, comme à l'origine de tout travail de création, quel qu'il soit, mon Enfant Libre était très actif, témoignant de curiosité, d'excitation à l'idée de se lancer dans ce travail, de plaisir que cela soit possible, etc. Cependant, cette partie de l'Enfant vit surtout dans l'instant et, à l'heure qu'il est, alors qu'il fait beau sur Paris, il a beaucoup plus envie de se promener, de se dorer au soleil, de rencontrer des amis... que de rester devant une machine à écrire.

Je n'ai pas fait apparaître dans cet égogramme le Petit Professeur, me conformant ainsi au modèle originel, tel que l'a créé John Dusay qui ne l'y fait pas figurer. Je ne l'en perçois pas moins comme très actif dans mon travail, précédant ma pensée déductive, Adulte, pour entrevoir des chemins de réflexion et d'analyse, pressentant quel exemple s'adapterait le mieux à la démonstration d'un concept théorique, jouant avec les idées, faisant la preuve de sa créativité, avant que ses intuitions soient reprises et vérifiées par l'Adulte.

Cet égogramme, je l'ai dessiné et explicité à partir de ce que je perçois de moi, aujourd'hui, pendant que j'écris. Il est sujet à évolution. Il était certainement différent quand j'en étais à la phase préliminaire de préparation de l'ouvrage et aura sans doute changé quand j'en serai à la relecture. Supposons que quelqu'un soit présent dans cette pièce et m'observe pendant que je travaille ; si je le chargeais de dessiner mon égogramme, il me proposerait peut-être une autre version que la mienne. D'autre part, cet égogramme « rédactionnel » n'est pas le même que mon égogramme familial ou professionnel. L'égogramme est en effet un instrument de mesure essentiellement relatif, voire subjectif, l'image du moi dont il permet de rendre compte varie en fonction de l'observateur, du moment et du lieu de l'observation. Et c'est là ce qui fait une grande partie de son intérêt. L'analyse de ces variations permet de mieux comprendre ses propres modalités de fonctionnement ou celles de toute personne avec qui on se trouve être dans une relation d'aide.

C'est ainsi que lorsque j'interviens en entreprise, il m'arrive de demander aux personnes présentes de dessiner leur égogramme professionnel. Parfois, certains souhaitent rééquilibrer leur égogramme, par exemple, un participant peut vouloir développer un Enfant Libre très réduit. Alors je lui demande de dessiner son égogramme familial et celui qui reflète son attitude quand il est avec ses amis. La comparaison que nous faisons en commun de ces trois égogrammes est toujours fort instructive et permet d'affiner les propositions d'action. Il va de soi que celles-ci seront très différentes selon qu'il s'agit d'une personne qui a l'occasion d'exprimer largement son Enfant Libre hors de son entreprise tout en ayant décidé (pour une raison ou pour une autre) de l'exclure de sa vie professionnelle. Ou bien d'une personne dont l'Enfant Libre semble définitivement atrophié, réduit à la portion congrue, voire inexistant. Sans entrer dans les détails, disons que le deuxième cas demande plus de prudence, de temps et de travail pour arriver au résultat souhaité.

Enfin, il est intéressant de noter qu'on peut élargir l'usage de cet outil d'un individu à un groupe d'individus, constitués en famille, société, entreprise, service, etc. Par exemple, au cours d'une recherche sur la radiodiffusion, nous avons pu établir l'égogramme des trois stations les plus écoutées : France-Inter, R.T.L. et Europe 1, définissant pour chacune d'entre elles la valeur relative des différents états du moi qui s'exprimaient sur leurs ondes.

Cette recherche portait sur les programmes diffusés pendant les mois de novembre et décembre 1977. Elle comportait deux volets : un volet relatif à l'analyse des émissions diffusées par France-Inter au cours de la journée (= analyse de l'offre), un volet constitué d'interviews auprès du public, auditeur des trois stations.

Les égogrammes que nous avons tracés tiennent donc compte, pour France-Inter, à la fois de l'analyse de l'offre et des résultats des interviews, alors qu'ils n'illustrent, pour les deux autres stations, que l'image que s'en fait le public.

Nous avons toutefois noté, dans le cas de France-Inter, une très grande corrélation entre les résultats issus de l'analyse de l'offre et ceux issus de l'analyse des interviews.

ÉGOGRAMME DE FRANCE-INTER

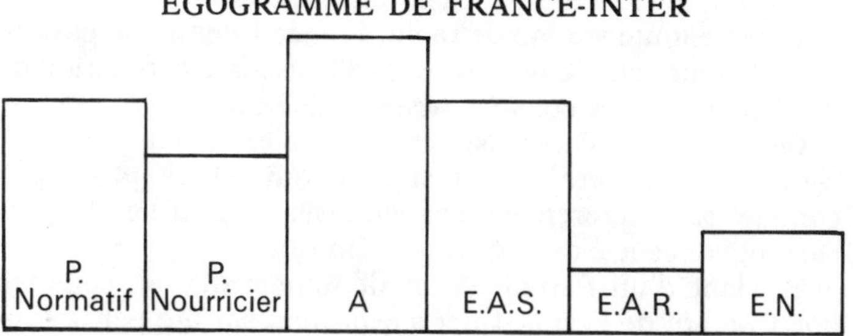

A cette époque, France-Inter offrait le profil suivant :

France-Inter, jugée par les auditeurs comme une station « intelligente », apparaissait comme ayant un état du moi Adulte dominant. Cela par deux aspects : un aspect information des auditeurs sur le déroulement des programmes, l'enchaînement des séquences, etc. Un aspect purement informatif, nombreuses sont les émissions riches d'enseignements et de renseignements (spectacles, musique, météo, cours de la Bourse, etc.) sans parler des émissions d'informations proprement dites.

Mais cet Adulte était « programmé » par un Parent omniprésent. D'une part : les livres qu'il faut avoir lus, les spectacles qu'on doit avoir vus, les personnalités dont il faut parler... D'autre part, les renseignements qu'une radio d'État doit donner : cours de la bourse, météo marine, etc.

Le Parent Normatif de France-Inter se trouvait en effet être un état dominant : il se manifestait à travers un certain nombre d'émissions, mais surtout, par le ton d'ensemble d'une station jugée, par les non-auditeurs, « élitiste », « guindée », même « agressive ». Il était résumé dans son slogan de l'époque : « Écoutez la différence », qui témoigne d'une confiance dans ses valeurs. En fait, France-Inter se réfère souvent à un système de valeurs. Ces valeurs étant :

la qualité, l'intelligence, le bon goût, la culture, le sérieux.

Son ton était plus souvent didactique, sérieux, voire pontifiant, caustique ou ironique (toutes manifestations du Parent), que chaleureux, léger, décontracté.

Comme toute station de radio, France-Inter a une part de Parent Nourricier, c'est-à-dire qu'elle assume la fonction de prodiguer aide et conseils à ses auditeurs.

Cependant, ce Parent Nourricier ne s'exprimait pas à travers le ton général de la station, qui n'était pas jugée comme particulièrement chaleureuse, ni gentille. Il était surtout concentré dans quelques émissions.

Pendant d'un Parent Normatif important : on constate que l'Enfant de France-Inter s'exprimait surtout par la soumission, soumission à l'égard des multiples Parents qui veillent sur une radio d'État, à l'égard d'un public qui partage son système de valeurs, à l'égard d'une grille des programmes relativement rigide... La personnalité et le ton de certains animateurs signaient également cet aspect de la personnalité de France-Inter.

Nous avions noté peu de manifestations de l'Enfant Rebelle de France-Inter (à l'exception notable de l'émission d'Anne Gaillard). Notons qu'on pourrait percevoir comme émanant de l'Enfant Rebelle une rébellion de l'ensemble de la station envers ce qui se fait dans les autres stations (la station « différente »). Mais il s'agissait là d'une rébellion institutionnalisée et parfaitement intégrée au système de valeurs de France-Inter qui, partant, ne peut être assimilée à une manifestation de l'Enfant Rebelle.

L'Enfant Naturel de France-Inter était réduit à la portion congrue. La spontanéité, la gaieté, le rire franc et sincère, l'émotion étaient difficilement repérables sur la station. Sans doute le Parent et l'Adulte omniprésents empêchaient-ils la partie intuitive et spontanée de l'Enfant de s'exprimer.

En conclusion, on constatait dans l'égogramme de France-Inter un déséquilibre en faveur du Parent et de l'Adulte (les valeurs et les faits) au détriment de l'Enfant Libre (la créativité et l'affectivité).

ÉGOGRAMME D'EUROPE 1

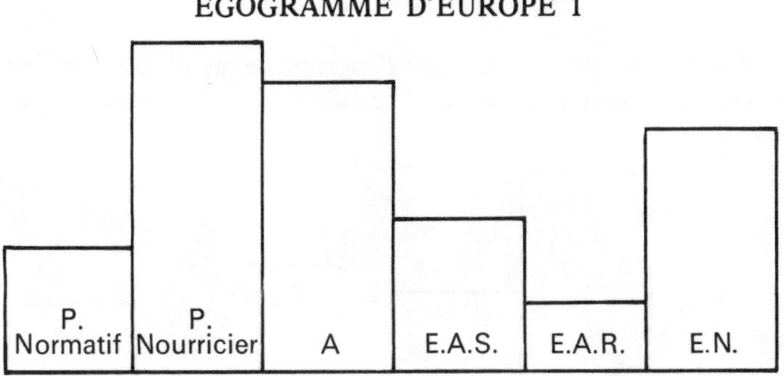

Cet égogramme offre l'image d'une personnalité assez équilibrée. Dans l'état Parent, c'est le Parent Nourricier qui domine, qui distribue aux auditeurs tout au long de la journée : cadeaux, argent, disques. Qui également raconte des histoires, propose une « aide psychologique », donne des conseils pratiques. Le ton est rarement sentencieux, autoritaire ou pontifiant comme l'est celui du Parent Critique. Cette station « confortable » ne semble pas être perçue comme cherchant à imposer son système de valeurs.

L'Adulte est présent (les informations sur Europe 1 sont appréciées), mais il n'est pas dominant dans une station jugée « superficielle » et « anecdotique » qui apparaît comme moins riche en enseignements et renseignements que France-Inter.

Dans l'état Enfant, l'Enfant Naturel est le plus présent, c'est lui qui donne à Europe 1 cet aspect vivant, jeune, naturel.

Enfin, Europe 1 a un Enfant Adapté qui se soumet aux règles radiophoniques bien sûr, mais également aux contraintes d'une station commerciale et au système de valeurs que lui impose malgré tout son public.

ÉGOGRAMME DE R.T.L.

Comme le précédent, cet égogramme avait été dessiné essentiellement à partir des résultats des interviews créatives.

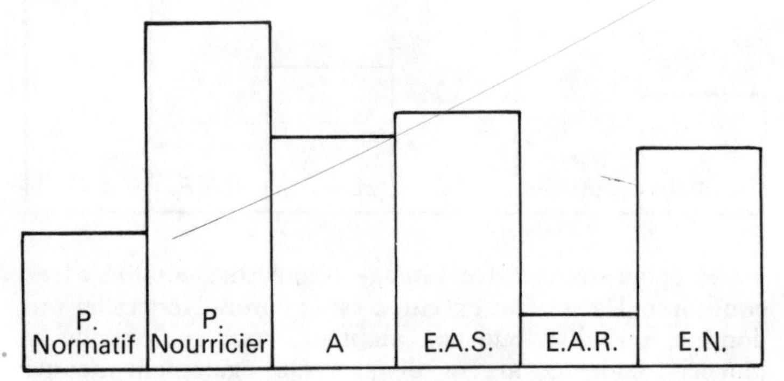

Cet égogramme met en évidence le fait que le Parent Nourricier est l'état du moi dominant d'une station gentille, chaleureuse, féminine, dont une des émissions s'intitulait :« Appelez, on est là », et dont le slogan était : « Jamais seul avec R.T.L. »

L'Adulte s'exprime peu sur R.T.L., qui n'est pas jugée comme particulièrement intelligente, sérieuse, informative.

L'état Enfant se caractérise par l'expression d'un Enfant Soumis important (conformité aux valeurs sociales en vigueur, aux attentes des auditeurs, à sa propre image, aspect hétéroclite qui vient d'un Enfant qui ne sait pas bien organiser un matériel donné...) et d'un Enfant Naturel également présent (part importante donnée aux jeux, aux rires, à l'affectivité).

4

LE P.A.E. EN RELATION AVEC D'AUTRES P.A.E.

Le Parent, l'Adulte et l'Enfant internes, leurs poids respectifs, le type de rapports qu'ils entretiennent, définissent la structure d'une personnalité. Cette structure a pour fonction d'entrer en relation avec son environnement. Dès sa naissance, l'homme agit sur le monde et « est agi » par lui. L'égogramme reflète les modalités privilégiées d'action et d'intervention sur ce monde de chacun. Il illustre également les comportements caractéristiques d'un individu donné dans une situation donnée.

La structure psychologique de l'être humain a donc une forme : le P.A.E. structurel; une fonction : entrer en relation avec le monde; un mode d'action que l'égogramme aide à définir. Elle doit aussi, pour pouvoir vivre et se développer, satisfaire un certain nombre de besoins. Elle doit être nourrie de stimulations, elle doit être reconnue et acceptée par tout ou partie de ceux qui l'entourent, elle doit exister dans un univers, un lieu, un temps où elle a une place identifiable. Ces besoins de stimulation, de reconnaissance et d'organisation, sont parmi les exigences essentielles de la structure humaine. S'ils ne sont pas satisfaits cette structure risque de se dessécher, de s'étioler, de se vider, devenant inutile pour cesser enfin de fonctionner.

A ce propos, on pense à l'exemple tristement fameux de

ces prisons où la torture la plus raffinée consiste à enfermer le condamné seul, sans possibilité de communiquer avec qui que ce soit, dans une pièce blanche, constamment éclairée à la lumière artificielle. On coupe ainsi cette personne de toute source de stimulations, de toute possibilité de reconnaissance et de tout moyen de structurer son temps. Il n'est pas surprenant qu'à terme, un tel traitement ait pour conséquence la folie ou le suicide.

Hors de ces lieux tragiques, pour pouvoir répondre à ces trois besoins fondamentaux, les hommes (et les femmes), s'entr'alimentent psychologiquement, se reconnaissent mutuellement et s'aident à s'organiser réciproquement, par des échanges très nombreux et très variés, en établissant des transactions.

La variété, la richesse et l'intérêt des rapports humains tiennent au fait que si toutes les structures psychologiques sont semblables (même composition, mêmes fonctions et mêmes besoins de base), chacune d'entre elles est également unique.

Le caractère unique de chaque personnalité provient de facteurs génétiques, de circonstances extérieures – moment et lieu de naissance, place dans le groupe familial, etc. – mais surtout de l'histoire de sa constitution. En effet, pour l'analyste transactionnel, cette structure ne préexiste pas à la naissance. Elle se constitue au fil des jours, en grande partie fabriquée par le proche entourage du nouveau-né. C'est cet entourage qui forme son Parent, complète son Enfant, permet ou non à son Adulte de se développer. C'est l'aventure personnelle de chacun, telle qu'il la vit dans son milieu familial, qui détermine le contenu des trois éléments de base de sa personnalité. Elle établit leur importance relative, installe leur mode de fonctionnement privilégié et conditionne le type de nourriture psychologique recherchée. Elle influe aussi sur les buts particuliers que chacun poursuit au long de son existence. Petit à petit, chacun apprend ainsi à préférer certains types de stimulations, à apprécier plus particulièrement l'une ou l'autre « caresse » psychologique, à en distribuer autour de lui plus ou moins généreusement, à moduler l'expression de ses trois états du moi. Il apprend aussi à organiser sa vie pour atteindre les objectifs qu'il s'est fixés. Petit à petit, chaque structure humaine se développe, se complexifie, devient une mécanique de haute précision qui entre en relation avec son environnement pour tâcher de répondre à ses besoins propres et fonctionne à sa manière. D'où des rapports, des échanges, des transactions entre les individus qui apparaissent extrêmement variés et complexes. L'A.T. cherche à se donner des moyens à la fois simples et pertinents pour analyser et décoder ces rapports. Cet aspect de l'A.T. qui est abordé dans cette partie du livre concerne son apport le plus important et le plus neuf dans le domaine des sciences humaines. Il se réfère surtout ce qui est immédiatement observable dans ce qui se passe *entre* les gens. S'attachant à comprendre les relations humaines, l'A.T. permet, au niveau social, de mieux les interpréter et de les changer si nécessaire. Au niveau individuel, cette analyse aide à répondre à une demande d'élucidation et d'harmonisation de notre structure intrapsychique, car les relations du P.A.E. avec les autres ne sont que l'émanation et la conséquence des relations de P., A. et E. entre eux.

Les grilles d'analyse des SIGNES DE RECONNAISSANCE, des TRANSACTIONS et de la STRUCTURATION DU TEMPS, qui sont développées maintenant, sont trois des principaux outils dont l'A.T. dispose pour atteindre ce triple objectif de compréhension, d'amélioration et de changement des relations et de la personnalité humaines.

Le besoin de stimulation

Aussitôt qu'un enfant naît, il est bombardé de stimulations de toutes natures. Il est touché, manipulé, caressé et nourri. Il entre en contact avec le monde par l'intermédiaire de ses cinq sens. Son ouïe, son odorat, son goût, sa vue... reçoivent des impressions fortes, nouvelles et répétitives, successives et simultanées qui aident au développement de son Enfant Naturel. Plus tard, ces stimulations deviennent plus spécifiques et différenciées et lui permettent de construire ses autres états du moi et de compléter son Enfant. Sa structure psychologique interne a continuellement besoin d'être stimulée pour pouvoir se former et évoluer, de même qu'il a besoin d'être nourri pour pouvoir grandir et se développer. Au début, l'enfant reçoit ses stimulations psychologiques de son entourage immédiat. Puis il élargit son cadre de vie et trouve ailleurs, dans son environnement, ce dont il a besoin pour continuer à alimenter et à faire fonctionner sa structure interne. Mais alors, son mode de fonctionnement interne jouera sur le type de stimulations qu'il recherche, donc sur le type de rapports qu'il aura avec les autres.

Imaginons, par exemple, un enfant dont l'Adulte aura été peu stimulé : ses parents le surprotègent contre le monde matériel, ils refusent de répondre clairement à ses pourquoi, ils dévalorisent les idées et les perceptions qu'il leur soumet... bref, ils ne permettent pas à son Adulte de se développer normalement. Il y a de réels risques de voir cet enfant, devenu grand, entrer en relation avec le monde sur le mode Parent ou Enfant. Il ne saura pas reconnaître les stimulations destinées à son Adulte, partie atrophiée et peu habituée à être nourrie de sa structure. Dans sa vie scolaire ou professionnelle, il entendra des informations émanant d'un professeur ou d'un supérieur comme des reproches ou des critiques destinés à son Enfant. Dans sa vie sociale, il choisira de communiquer avec d'autres Parents qui comme lui commenteront la perte des vraies valeurs, le désengagement de la jeunesse, la dureté des temps... et s'emploieront à maintenir le respect des traditions. En agissant ainsi, il continue à alimenter et à stimuler les états de son moi qui en ont pris l'habitude au cours de son évolution personnelle. Il en va de même pour quelqu'un dont l'Enfant Naturel aurait été étouffé très tôt et qui ne sait pas comment il peut être activé. Les besoins réels de son Enfant n'ont plus le droit d'être exprimés, et il ne sait plus reconnaître les stimulations : rires, caresses, expression de sentiments authentiques... qui lui sont destinées.

Ainsi notre relation aux autres est-elle conditionnée par le besoin de stimulations que nous éprouvons, mais la qualité de ces stimulations n'est pas indifférente et chacun recherche et accepte celles qui conviennent le mieux à sa structure interne.

Inversement, il est toujours possible, en décidant de chercher de nouvelles stimulations, de commencer un travail de modification de sa propre structure. Certes, le P.A.E. structurel a un rôle moteur dans cette quête de stimulations spécifiques qui lui permettent de continuer à exister et à se développer (plus la structure d'une personnalité est rigide, plus ses relations avec les autres et avec le monde vont être figées, stéréotypées et peu susceptibles d'évoluer en apparence). Il est pourtant possible de modifier le P.A.E. interne par un changement du système de stimulations des états du moi, donc par un changement du type de relations qu'on entretient avec les autres. Parfois ce changement provient d'une évolution spontanée.

La période propice pour une telle évolution se situe entre six et seize ans, à un âge où les structures de la personnalité ne sont pas encore consolidées et où l'enfant élargit son horizon social à d'autres personnes que les membres de sa famille. Il peut faire alors la découverte étonnée d'un nouveau système de stimulations. Quand un éducateur, un professeur, un ou une amie... entreprennent d'avoir avec lui d'autres relations que celles qu'il a toujours connues. Ils proposent des messages nourriciers, une écoute attentive de ses besoins, une communication Enfant-Enfant, à celui qui aura eu des parents très durs, uniquement préoccupés de le soumettre à leur volonté et qui lui ont adressé essentiellement des stimulations destinées à son Enfant Adapté. A un

Enfant soumis à des parents surprotecteurs, qui l'empêchent de grandir et de développer son Adulte, ils offrent des informations, une relation de confiance, la possibilité de communiquer d'Adulte à Adulte, etc. C'est une telle démarche qu'emploient, par exemple, les rééducateurs en milieu spécialisé.

Parfois, ce changement peut se produire à la suite d'une modification brutale et décisive de l'environnement (guerre, veuvage, voyage, héritage...) qui donne l'occasion d'expérimenter de nouveaux systèmes de stimulations et d'abandonner les anciens à leur profit.

Parfois, enfin, il faudra une prise de conscience, une volonté personnelle de changer et un travail thérapeutique plus ou moins profond, pour tester d'autres modes de fonctionnement. Il est possible alors, dans une démarche volontariste et guidée, de développer petit à petit un état du moi atrophié : d'alimenter et de stimuler l'Adulte par des informations et des vérifications. D'enrichir le Parent par la découverte d'autres systèmes de valeur, par l'observation de parents « en exercice », par l'activation volontaire de son propre Parent. Il est même possible, bien que ce soit là une tâche plus délicate, de réapprendre à l'Enfant Naturel à vivre et à s'exprimer et de réduire la pression exercée par l'Enfant Adapté.

Le besoin de reconnaissance

Cette remise en cause de sa structure interne par un changement de ses relations externes est une entreprise à la fois passionnante, excitante et... délicate. Le moteur psychologique – la structure et le contenu du P.A.E. – qui nous fait agir a ses exigences propres. On a souvent l'impression qu'il peut seulement fonctionner comme il l'a toujours fait, même s'il tourne au ralenti ou s'il a des ratés. En effet, en même temps que les parents adressent à leur enfant des stimulations qui lui permettent de se structurer psychologiquement, ils lui envoient des signes lui indiquant qu'il est reconnu et accepté. Or, l'enfant a le sentiment qu'il est seulement reconnu et accepté tel, en quelque sorte, que ses parents le « fabriquent », c'est-à-dire avec la structure qu'ils mettent en place ensemble. Remettre en cause cette structure peut vouloir signifier, pour l'enfant qui est en chacun, la remise en cause de sa reconnaissance par ses parents, la remise en cause de son existence même. C'est une des raisons pour lesquelles il peut paraître si difficile de changer. C'est une des raisons qui fait dire devant une option nouvelle de comportement, objectivement jugée comme bénéfique : « C'est impossible, je ne peux pas réagir autrement, ce ne serait plus moi ! » C'est pourquoi, lorsque quelqu'un entreprend une telle démarche, dans le cadre d'un groupe thérapeutique, il est important qu'il reçoive des membres du groupe et du thérapeute, les permissions, acceptations, encouragements et félicitations dont il a besoin pour sentir que malgré ces changements, il continue à être accepté et reconnu par des personnes qu'il côtoie et qui ont de l'importance pour lui. Ce besoin d'être reconnu est en effet fondamental chez l'être humain. Il correspond au besoin d'être accepté par les autres en tant qu'individu spécifique, de voir la réalité de notre existence confirmée par d'autres personnes qui nous envoient des stimulations qui nous sont spécialement destinées. Quand quelqu'un s'adresse directement à nous, que son message soit verbal ou non, d'une part, il nous transmet des informations, et, d'autre part, il nous reconnaît en tant que personnes réelles et dignes d'attention. Ces messages spécifiques qu'on nous adresse sont des stimulations, mais toute stimulation n'est pas signe de reconnaissance. Le spectacle de la rue, la lecture d'un journal, la vision d'un film... sont autant de stimulations qui ont un écho dans notre structure interne. Tous nous avons des stimulations olfactives, musicales, gustatives, que nous aimons particulièrement, qui font partie des « aliments de base » de notre P.A.E., ce ne sont pas pour autant des signes de reconnaissance. Ceux-ci nous sont transmis par les personnes vivantes (ou éventuellement par les substituts que sont les animaux familiers) qui nous entourent et avec qui nous avons l'occasion d'entrer en contact.

Pour un petit enfant, ce sont ses parents, témoins et garants privilégiés de son existence, qui sont la source essentielle de ces signes de reconnaissance. Une mère, un père, qui touchent, caressent, manipulent, embrassent leur enfant, le stimulent, satisfont leur propre plaisir à toucher, manipuler, caresser... Mais surtout disent d'une certaine manière à cet enfant : « Tu es bien vivant, tu existes, nous te reconnaissons, nous t'acceptons. » Ces stimulations spécifiques sont nécessaires à l'enfant pour qu'il puisse se développer et s'épanouir. Des études menées en particulier par René Spitz ont démontré que le nourrisson privé de contact physique avec les adultes, sevré trop tôt de nourriture psychologique, pouvait dépérir, sombrer dans le marasme, voire mourir.

Au fur et à mesure que l'enfant grandit, ces caresses et ces contacts physiques entre lui et les adultes qui l'entourent vont se faire plus rares, mais son besoin de recevoir des signes de reconnaissance ne va pas disparaître, il va seulement apprendre à le satisfaire par ces caresses symboliques que sont les paroles, les compliments, les sourires, les regards, les poignées de main. Il va élargir le cercle de ses pourvoyeurs en caresses à d'autres partenaires que ses parents, évitant ainsi, suivant l'image d'Éric Berne, que sa « moelle épinière ne se flétrisse ». Il va aussi commencer à en distribuer en échange de celles qu'il reçoit. Un des problèmes majeurs de ces échanges c'est que la monnaie employée ne comporte pas uniquement les louis d'or des caresses, des sourires, des compliments, mais également la monnaie de singe des reproches, des critiques, des dévalorisations, etc.

Les différentes « caresses »

Pour désigner ces stimulations particulières que sont les signes de reconnaissance, l'anglais dispose du terme *stroke* [1] qui signifie à la fois contact, caresse et coup. Il est très intéressant et nous regrettons de ne pas disposer de l'équivalent en français, car il rend bien compte de la réalité et du mode de fonctionnement du signe de reconnaissance. Un baiser et une gifle, un compliment et un reproche, une déclaration d'amour et une déclaration de haine sont des stimulations qui semblent s'opposer deux à deux, qui sont données et reçues dans des états d'esprit fort différents. Mais, toutes s'opposent d'abord à l'indifférence, au silence, à l'ignorance de l'autre. Toutes, au-delà de leur sens particulier, sont signes que la personne qui les reçoit existe réellement pour celle qui les donne. Toutes sont signes de reconnaissance.

Les quatre principaux types de signes de reconnaissance que nous pouvons recevoir ou donner sont décrits schématiquement dans ce récit de la journée d'un petit garçon.

Alain a deux ans, il vient de se réveiller, il gazouille dans son berceau. Sa mère vient vers lui, elle le prend dans ses bras, l'embrasse, lui sourit, elle entreprend de le changer, tout en lui disant des mots gentils. Plus tard dans la matinée, Alain s'active à ses jeux, il commence à être un peu trop bruyant au goût de sa mère. Elle l'interpelle : « Veux-tu être un gentil petit garçon et cesser de faire tout ce bruit ! » Après un moment de répit, l'enfant reprend de plus belle, mettant sa mère tout à fait en colère. Elle

1. J'emploie pour ma part tantôt l'expression « signe de reconnaissance » tantôt le mot « caresse », bien qu'aucun ne me satisfasse pleinement. Hubert Jaoui utilise le terme « vivat », je n'y suis pas encore habituée, ni convaincue qu'il soit le meilleur possible.

s'énerve et s'exclame : « Maman ne t'aime pas du tout quand tu es désobéissant ! » Vers quatre heures et demie, le frère aîné, qui a six ans, rentre de l'école. Il est très jaloux d'Alain. Il profite d'un moment où la mère a le dos tourné pour le pincer et lui faire une grimace rageuse, les yeux pleins de haine.

Alain a eu l'occasion d'expérimenter au cours de sa journée les quatre types de caresses.

D'abord la caresse positive inconditionnelle dans les cajoleries et les embrassades du lever, caresse qui signifie en substance : « Je t'aime et je t'accepte, toi, tel que tu es. » Cette caresse peut être considérée comme « l'étalon-or » du signe de reconnaissance, celui qui est le plus gratifiant, le plus fort (pour qui a appris à les apprécier). Les plus pessimistes (ou réalistes ?) soutiennent qu'il n'existe pas à l'état pur. On le rencontre pourtant dans certaines relations : quand des mères ou pères acceptent totalement leur petit enfant, fille ou garçon, gros ou maigre, un merveilleux cadeau, qui n'a comme seule vertu que celle d'exister. Il est échangé dans des amours naissantes ou solides, dans des amitiés durables. « Je t'aime », « Quelle joie de te revoir ! », « Tu es merveilleux ! » (quand les mots ne sont pas contredits par le langage non verbal), un contact physique chaleureux et intense... sont des signes de reconnaissance positifs inconditionnels.

Un degré en dessous dans l'échelle des signes de reconnaissance se trouve la caresse positive conditionnelle. Celle qu'Alain a reçue quand sa mère lui a dit : « Veux-tu être un gentil petit garçon et cesser de faire tout ce bruit ! » Comme son nom l'indique, cette caresse se caractérise par le fait que son attribution dépend d'une condition que formule, explicitement ou implicitement, celui qui la donne. Elle est monnaie courante dans la plupart des systèmes éducatifs et pédagogiques et dans les relations sociales et professionnelles : « C'est tellement plus agréable quand tu souris ! », « Sois mignonne, range ta chambre ! », « Papa va être content quand il saura que tu m'as aidée à débarrasser ! », « Tu me plais quand tu es en colère ! », « Si vous réussissez à faire ce travail en deux jours, je m'en souviendrai ! »... sont autant de caresses positives conditionnelles. Mais il n'est pas nécessaire que la condition soit explicitement formulée pour qu'il en soit ainsi. Une maîtresse de maison qui reçoit force remarques positives quand elle fait de la bonne cuisine, mais à qui personne ne fera de compliments pour une nouvelle robe ou un nouveau chapeau, reçoit des signes qui signifient : « On te reconnaît d'abord quand tu es la bonne mère que nous voulons que tu sois. » De même un enfant qu'on complimente surtout sur ses bons résultats scolaires, une secrétaire dont on attend d'abord qu'elle présente proprement courrier et rapport... Tous ne sont pas reconnus en tant que personnalité à part entière, mais à condition qu'ils répondent à certaines attentes.

Le troisième type de caresses qu'a expérimenté Alain est la caresse négative conditionnelle : « Maman ne t'aime pas du tout quand tu es désobéissant ! » En apparence cette caresse est assez proche de la précédente, le but visé est le même et la dynamique « si... alors... » semblable. En fait, elles sont très différentes : dans le premier cas, Alain sait ce qu'il doit faire pour plaire à maman (pour qu'elle l'accepte) ; dans le second, il sait seulement ce qu'il doit faire pour cesser de lui déplaire (ce qui ne garantit pas son acceptation). Nous pouvons reprendre tous les exemples précédents de caresses positives conditionnelles et les retourner pour en faire des caresses négatives conditionnelles : « Tu es laide quand tu pleurniches ! », « Tu n'as pas honte de laisser ta chambre dans un tel désordre ! », « Vous avez intérêt à faire ce travail en deux jours ! », « Si tu ne m'aides pas, papa sera fâché ! », « Cesse de geindre, réagis ! » De même pour la ménagère à qui on ne dira rien quand la soupe est bonne, mais à qui on fera des reproches quand elle est mauvaise. Ou pour l'enfant sur le carnet scolaire de qui on épinglera surtout les mauvaises notes. Les messages formels restent les mêmes. Ce qui change, en l'occurrence, c'est l'état d'esprit dans lequel tout cela est formulé, c'est l'état du moi qui s'exprime : en général un Parent Critique Négatif, c'est la façon dont l'interlocuteur reçoit le message. Cette caresse-là n'offre rien de sécurisant. Que faire pour être vraiment aimé et accepté ? Si elle est utilisée de façon répétitive et continuelle elle risque fort d'activer chez celui qui la reçoit l'Enfant Rebelle : « Si je ne sais pas comment te plaire, alors ce n'est pas la peine que je me soumette à tes désirs en essayant ! »

La quatrième caresse qu'a reçue Alain, ce jour-là, est la caresse négative inconditionnelle que lui a donnée son frère aîné, quand il lui a dit, par son pinçon et sa grimace : « Je te déteste, toi ! » Les caresses négatives inconditionnelles reconnaissent l'existence de l'autre pour d'une certaine manière la nier (mais bien entendu, ce faisant elle continue à la reconnaître). « Je te hais ! », « Je ne peux plus te supporter ! », « Il n'y a rien de bon à attendre de vous ! », « Qu'est-ce qu'on peut bien faire d'un garçon comme toi ? », un coup de poing assené violemment sont des caresses négatives inconditionnelles. A l'extrême, l'assassinat est l'expression ultime du signe de reconnaissance négatif inconditionnel.

L'économie de « caresses »

Ce recensement des différents types de caresses n'a pas pour seul objectif d'en faire un classement si satisfaisant soit-il pour l'esprit. Il s'agit de répertorier les monnaies d'échange utilisées dans les rapports qu'entretiennent les êtres humains, pour mieux comprendre comment ces échanges s'organisent en un système qui obéit à sa logique interne bien qu'il puisse parfois paraître aberrant du point de vue de Sirius ou du « martien » cher à Éric Berne (pourquoi s'obstine-t-on à se distribuer des coups alors qu'il serait si agréable d'échanger des caresses ?). Cela, bien entendu, pour pouvoir changer, si nécessaire, et dans les domaines où nous pouvons le faire, ce système que l'on appelle « l'économie des caresses ». Ce système fonctionne à deux niveaux : le niveau individuel et le niveau social. Il comprend cinq termes d'échange qui sont : donner – demander – accepter – refuser – se donner à soi-même. Si tout fonctionnait idéalement, chacun devrait être capable de donner, de demander, d'accepter, de refuser et de se donner à soi-même des caresses, de préférence positives. En effet, théoriquement, la différence essentielle entre les échanges économiques et les échanges de caresses, c'est que les réserves de signes de reconnaissance sont inépuisables, contrairement aux réserves monétaires dont dispose chacun.

Il devrait donc être possible d'en distribuer à profusion autour de soi sans risque de pénurie. Il est également possible d'utiliser son propre Parent Nourricier pour s'en donner à soi-même, si on estime qu'on n'en reçoit pas assez. En fait, et toutes choses égales, ce sont un peu les mêmes règles qui régissent les échanges économiques que celles qui président aux échanges de caresses. A savoir, que pour les caresses, comme pour les espèces sonnantes et trébuchantes, « on ne prête qu'aux riches » (certaines personnes semblent attirer les signes de reconnaissance positifs, les sourires, les félicitations). Dans un cas comme dans l'autre, il est plus facile d'en donner autour de soi quand on en reçoit en abondance. Cependant certains les thésaurisent, ils acceptent de recevoir des caresses mais ne savent pas en donner, tandis que d'autres les distribuent généreusement et ne sont pas avares de compliments. Il y a des milieux qui favorisent la libre circulation des caresses. Il y en a qui organisent la pénurie. La distribution de caresses « gratuites » peut entraîner la méfiance, on pense : « Pourquoi me dit-il qu'il me trouve sympathique ? Qu'est-ce qu'il me veut ? » Comme on dit : « Pourquoi me propose-t-il cette affaire mirobolante ? Qu'est-ce que cela cache ? » etc.

Dans *Scripts people live,* Claude Steiner a écrit un joli conte pour enfants qui illustre le principe de l'échange de caresses. Le voici résumé : il y a bien longtemps, vivait une famille de quatre personnes, le père et la mère, Tim et Maggie, et leurs deux enfants, John et Lucy. Ils étaient très heureux et tout le monde autour d'eux l'était aussi. Il faut savoir qu'en ce temps-là, chacun recevait à sa naissance un petit sac plein de « douces-caresses ». Il suffisait de plonger la main dans son sac pour y trouver une « douce-caresse ». Elle apparaissait, au sortir du sac, comme une boule de plumes prête à s'épanouir et à se poser sur l'épaule, le bras, le cœur de la personne en face de soi pour la réconforter, lui apporter chaleur et douceur. C'est pourquoi ces caresses étaient très demandées. Quand on ne recevait pas régulièrement ces « douces-caresses » on finissait par s'affaiblir, se ratatiner, et par mourir. Mais personne dans ce village ne risquait une fin si pénible, puisque chacun donnait à chacun toutes les « douces-caresses » dont il avait besoin. Jusqu'au jour où une horrible sorcière, qui vendait les philtres et les potions chargés de soigner ceux qui étaient atteints du terrible mal provoqué par le manque de « douces-caresses », en eut assez de ne rien vendre à personne et conçut un plan diabolique pour augmenter son chiffre d'affaires. Elle alla rendre visite à Tim et le trouva occupé à ses affaires, tandis que Maggie donnait de douces-caresses à Lucy. Elle lui demanda : « Ne crains-tu pas que Maggie donne à Lucy toutes ses douces-caresses et qu'il n'en reste plus pour toi ? » « Que veux-tu dire ? Notre sac à caresses n'est-il pas inépuisable ? » « Mais pas du tout ! une fois que vous l'avez vidé, c'est bel et bien fini ! »... Et la sorcière s'en fut. A dater de ce jour, le ver était dans le fruit. Tim demanda à Maggie de distribuer moins de douces-caresses aux enfants pour qu'il en reste pour lui. Maggie qui l'aimait et qui ne voulait pas le priver commença à se restreindre. Le mal gagna les enfants, puis de proche en proche, tout le village. Chacun veillait jalousement sur son stock de douces-caresses, ne les distribuait plus que parcimonieusement et à ses seuls proches, se sentait coupable quand il en donnait à des étrangers, etc. Les gens privés de ces douces-caresses commençaient à être malades et allaient trouver la sorcière pour lui acheter des remèdes. Malheureusement, malgré toutes ses potions, ils finissaient par mourir. Si bien que devant ces résultats, qui allaient beaucoup plus loin que ce qu'elle voulait, la sorcière décida d'offrir aux gens des ersatz de douces-caresses qui ne les empêcheraient pas d'être malades et affaiblis, mais qui les maintiendraient quand même en vie. Elle leur offrit des sacs de « piques-amères », qu'ils pouvaient trouver à profusion et se distribuer sans risque d'en manquer. A partir de là, les choses devinrent très compliquées. Il y eut un trafic sur les douces-caresses, de la spéculation, certains en recevaient beaucoup et les revendaient fort cher, d'autres devaient faire des efforts terribles pour s'en offrir ne serait-ce qu'une et devaient se contenter le reste du temps de piques-amères. D'autres maquillaient des piques-amères en douces-caresses en les repeignant et en leur collant quelques plumes. L'ennui c'est que ceux qui avaient reçu ces douces-caresses artificielles ne comprenaient pas pourquoi ils n'en étaient pas plus contents et pourquoi cela les laissait insatisfaits, etc. Le conte de Steiner se termine sur l'arrivée au village d'une femme qui réapprend aux enfants à distribuer généreusement des douces-caresses au grand dam des parents qui cherchent à la faire interdire de séjour au village. L'histoire ne dit pas qui, des parents ou des enfants aidés par la jeune femme, finira par l'emporter.

Analyser dans le détail le système d'économie des caresses dans la société actuelle demanderait sans doute de très longs développements. Nous allons voir comment cela se passe au niveau individuel et nous contenter de quelques aperçus sur les échanges de caresses au niveau du groupe, de l'entreprise, etc.

La première leçon, la leçon vitale, pour un tout petit qui apprend à vivre, c'est de comprendre comment fonctionne le système de caresses dans un contexte bien particulier : la famille où il est né. Cette leçon comprend trois grands chapitres : la qualité (positives, négatives, conditionnelles, inconditionnelles) et la quantité des caresses auxquelles il a droit; ce qui est « caressable » (quand et pourquoi on donne des caresses); le système d'échange de ces caresses (donner, demander, accepter, etc.).

On peut supposer qu'au départ, un enfant rercherche les caresses positives, agréables et génératrices de plaisir: baisers, sourires, mots doux... mais il va bien falloir qu'il se contente de ce qu'il trouve sur le terrain où il est né. S'il a la chance d'être venu au monde dans une famille aimante, chaleureuse et donnante, tant mieux pour lui. Il apprendra à aimer et à rechercher les caresses positives. Sinon, il apprendra à aimer et à rechercher ce qu'on veut bien lui donner, des coups, des critiques, des propos malveillants, certes moins agréables à recevoir que les caresses, mais qui signifient cependant pour lui: « Tu es là en face de moi, tu as une existence propre, je t'ai reconnu. » En matière de signes de reconnaissance, l'enfant se contente de ce qu'il trouve, tant il est vrai « qu'un signe de reconnaissance négatif vaut mieux que pas de signe de reconnaissance du tout ». Voir sa propre existence niée par les autres est plus que n'en peuvent supporter la plupart des êtres humains et particulièrement les jeunes enfants. C'est une des raisons pour lesquelles bien des parents constatent que « c'est le jour où on est débordé de travail, où on n'a vraiment pas le temps de s'occuper d'eux, qu'ils (les enfants) sont le plus insupportables! » En fait, il n'y a là aucune malignité de leur part. Ils font ce qu'il faut pour recevoir leur ration de signes de reconnaissance, même si cela doit être une gifle, des cris ou une fessée. A ce propos, on m'a raconté l'histoire d'une petite fille qui avait vu sa vie bouleversée par l'arrivée d'une petite sœur. Ses parents, lui semblait-il, distribuaient toute leur réserve de caresses et d'attention à la nouvelle venue, s'en occupant beaucoup trop à son gré. Elle commença à se montrer turbulente et capricieuce, espérant sans doute ainsi attirer leur attention. Mais les jeunes parents ne voulaient pas la traumatiser par les punitions et faisaient « ceux qui n'avaient rien vu ». Finalement, la petite fille prit le parti de baisser elle-même sa culotte et de présenter son derrière à ses parents chaque fois qu'elle avait fait une bêtise, pour recevoir la fessée « qu'elle méritait », le signe de reconnaissance dont elle avait le plus urgent besoin.

La plupart des parents offrent à leurs enfants alternativement des caresses positives et négatives, leur donnant ainsi la possibilité de choisir ce qu'ils préfèrent dans ce cocktail. Mais il arrive aussi que certains enfants n'aient à leur disposition que, ou essentiellement, des signes de reconnaissance négatifs. Il y a alors de grands risques pour qu'ils considèrent que ce sont les seuls auxquels ils aient droit, voire que ce sont les seuls qui existent.

J'ai connu une petite fille qui était abreuvée de signes de reconnaissance négatifs à longueur de journée par ses parents ; le soir dans son lit, elle reprenait la litanie de ce qu'elle avait entendu dans la journée, répétant : « Anik est vilaine, méchante, insupportable, etc. » Elle reprenait ainsi à son compte les caresses négatives que ses parents lui distribuaient et devenait ce qu'ils « voulaient » qu'elle soit, elle-même commençant à se reconnaître dans ce portrait.

Et ces enfants, qui ont eu droit d'abord à des signes de reconnaissance négatifs, vont continuer à les chercher tout au long de leur vie, ce sont eux qui signent la réalité de leur existence, c'est cette nourriture psychologique là qu'ils ont appris à aimer et que, d'une certaine manière, ils quémandent autour d'eux. D'où des comportements apparemment pervers de personnes qui semblent « vraiment chercher les coups ! », « qui ne font rien pour se faire aimer ! » et qui « s'arrangent pour que rien n'aille bien ! ». Bien entendu, on admet très difficilement qu'on puisse parfois rechercher des caresses négatives plutôt que positives. C'est pourtant un fait maintes fois vérifié et confirmé par ceux-là mêmes qui ont un tel comportement, quand ils ont l'occasion d'y réfléchir dans un milieu sécurisant et chaleureux.

Il faut dire, à la décharge de ces personnes, que leur demande de caresses négatives rencontre chez les autres

« l'envie » de leur en donner. Cela, parce que c'est l'Enfant en nous qui est le plus actif dans cette quête de caresses. Historiquement, il est le premier à en avoir reçu. Or, un jeune enfant heureux, épanoui, qui s'exprime, est aimé et reçoit beaucoup de caresses positives. De même l'Enfant qui est en nous, s'il est heureux, s'il s'épanouit, s'il s'exprime, recevra beaucoup de signes de reconnaissance positifs. A l'inverse, un enfant qui ne reçoit que des caresses négatives est triste, maussade, agressif. L'état du moi Enfant dans l'adulte continuera à s'exprimer par la tristesse, l'amertume, l'agressivité, et aura de bonnes chances de recevoir des autres des caresses négatives. L'Enfant libre, heureux et aimant, suscite chez l'autre le Parent Nourricier ou l'Enfant Libre. L'Enfant grognon, agressif, désagréable, suscite le Parent Critique Négatif. La demande « donne-moi des caresses négatives » a donc toutes les chances de rencontrer la réponse « mais bien entendu, c'est ce que tu mérites ! ».

A quelques rares exceptions près, la plupart des parents distribuent surtout à leurs enfants des signes de reconnaissance conditionnels, leur enseignant ainsi la deuxième partie de leur leçon sur les caresses : Qu'est-ce qui est « caressable » chez nous (les Dupont, Dubois, Martin) et en toi (Rémy, Sophie, Paul...). Les parents reconnaissent leurs enfants en fonction de ce qu'ils sont — ou voudraient qu'ils soient — ou de ce qu'ils font — ou voudraient qu'ils fassent (« Une fille c'est doux, gentil, obéissant », « Un garçon ça ne pleure pas », « Chez nous les Martin, on est avant tout honnête », « Tu es vraiment la fille de ton père ! », « Y'a pas de doute, tu as la bosse des maths ! » etc.). Le Petit Professeur dans l'enfant est très tôt branché sur les désirs de ses parents pour savoir ce qu'il doit faire pour avoir droit à des caresses. Une telle proposition peut faire sourire, car alors, il suffirait que les parents demandent quelque chose pour que les enfants le fassent ! Il n'y aurait vraiment plus de problèmes (tout au moins pour les parents !). En fait, le Petit Professeur fonctionne par pensée intuitive et non verbale, mais il manque d'informations objectives. Il devine – ou croit deviner – ce que l'Enfant du parent a vraiment envie de caresser chez son petit. Nous reviendrons plus en détail sur ce point, quand nous aborderons le chapitre sur le scénario, mais il est important de le souligner dès à présent pour comprendre comment fonctionne le système de caresses. Imaginons une mère qui dit à son fils : « Sois un homme, sois courageux ! », et qui, dès que le petit garçon se fait le moindre bobo, se précipite vers lui, affolée, le console, l'embrasse... La conclusion du Petit Professeur a toutes les chances d'être : « J'ai intérêt à pleurer bien fort dès que je me fais un petit bobo, ainsi maman est près de moi, s'occupe de moi, montre qu'elle m'aime ! » L'Enfant a appris un truc pour recevoir une caresse et peu importe ce que dit formellement maman à propos du courage. Si ce comportement de la mère est fréquent, ce que l'enfant aura appris c'est que ce qui est « caressable » chez lui, ce n'est pas son courage, mais le fait d'être meurtri et d'avoir besoin de maman, de telle manière qu'il ne percevra plus la réalité de la douleur éprouvée lors d'une chute, mais la façon de l'utiliser pour recevoir une caresse.

Bien sûr, il peut y avoir concordance entre ce que des parents attendent explicitement de leur enfant, la satisfaction qu'ils éprouvent à le voir se réaliser et l'expression directe de cette satisfaction sous forme de caresses positives. Il arrive que le père dise : « Les Martin sont des gens honnêtes ! », que l'enfant rapporte une anecdote faisant preuve de sa probité et que son père l'embrasse et le félicite. Il y a toutes les chances pour que cet enfant soit alors convaincu de la valeur de l'honnêteté et déduise : « On reçoit des caresses quand on est honnête ! » Mais, il est également possible que le père prône la valeur de l'honnêteté jusqu'au jour où son fils narre à table la façon astucieuse dont il a grugé un de ses amis. Le père se met alors à rire du bon tour, le savoure visiblement et se contente de protester pour la forme : « Tu n'as pas honte quand même ! », le regard encore pétillant d'aise. Qu'en conclura l'enfant ? : « L'honnêteté c'est bien joli, mais ce qui fait vraiment plaisir à papa (ce qui fait qu'il me reconnaît), c'est quand je suis plus malin que les autres. »

Chacun pourra compléter au gré de sa propre expérience la liste infinie de ces exemples où ce qu'on reconnaît vraiment chez l'enfant n'est pas toujours ce qu'on affirme attendre de lui.

Quoi qu'il en soit, que les parents soient ou non cohérents dans leur demande, l'enfant apprend à quelles conditions il est reconnu et s'attend à ce qu'il continue à en être ainsi dans la suite de son existence. On l'a reconnu lorsqu'il travaillait dur, ou lorsqu'il faisait le clown, ou parce qu'elle était très jolie, ou parce qu'il était à plaindre, ou parce qu'elle gardait le sourire même quand ça allait mal, ou, ou... Ils sont prêts à prendre pour argent comptant toutes les caresses qui leur redisent : « Tu es vraiment un bourreau de travail ! », « Quel pitre tu fais ! », « Vous êtes ravissante ! », « Mon pauvre ami ! », « Je sais que vous ne flancherez pas ! ». Il ne s'agit pas de leur dire, même sincèrement : « Je vous préfère quand vous vous amusez ! », « J'aime bien mieux quand on discute sérieusement ! », « Ce que j'apprécie en vous c'est votre intelligence ! », « Je suis sûr que vous allez vous en sortir ! », « Vous devez parfois en avoir marre ! » Ces signes de reconnaissance-là ils les reçoivent comme une monnaie étrangère, voire comme de la fausse monnaie. Cela les laisse perplexes, ils se méfient, ils ne comprennent pas, vous devez vous tromper, ce n'est pas à eux que vous vous adressez...

Enfin, la dernière partie de la leçon sur les signes de reconnaissance concerne le système d'échange de ces signes. Peut-on en demander ? A-t-on le droit de les refuser ? Est-il permis de s'en donner à soi-même ? Et d'accepter ceux que nous donnent les autres ? Est-il bon d'en donner ? La circulation des signes de reconnaissance obéit à des règles familiales bien précises. Viennent s'y ajouter des règles sociales culturelles. Chacun a appris dans sa famille comment tirer le plus grand parti des caresses reçues : « Tu es très jolie aujourd'hui, ma fille ! » Comment papa préfère-t-il que je réagisse ? En lui sautant au cou de plaisir ou en baissant les yeux timidement ? Pour qu'on me redonne d'autres carresses est-il préférable que je réponde à un compliment par un « Mais non, ce n'est pas si bien que ça, tu exagères ! » ou par un « Merci, ça c'est gentil ! ».

En somme, puis-je assumer, recevoir avec plaisir les caresses qu'on me fait ou dois-je les dévaloriser, les amoindrir ? Et le reste à l'avenant. Si l'enfant vit dans un milieu où les caresses sont monnaie courante, où elles sont distribuées par tous généreusement, à tous équitablement, il aura plus de chances d'apprendre à les donner sans réserve et il osera aussi en demander. Mais s'il est élevé dans une famille où elles sont une denrée rare, que l'on délivre au compte-gouttes, il risque fort d'en conclure que lui-même doit en user avec parcimonie, ne pas les gaspiller, et il ne se risquera jamais à en donner. Quant à refuser les caresses, cela s'apprend aussi, mais c'est rarement permis. Si la voisine, mielleuse, s'exclame : « Quel amour d'enfant ! Veux-tu un bonbon ? » ; et que ladite enfant refuse d'un haussement d'épaules et d'un froncement de nez et le bonbon et le compliment, elle a toutes les chances de s'entendre gronder par sa mère : « Comment peux-tu être si méchante avec une si gentille dame ? » Enfin, se donner à soi-même des caresses, reconnaître ses propres qualités, développer le sentiment d'estime de soi, peut être encouragé ou freiné au cours de l'éducation d'un enfant.

Ainsi, chacun développe son propre système d'échange de caresses, préférant en donner ou aimant surtout en recevoir. Ne sachant pas les accepter, « Vraiment vous aimez ma robe ? je l'ai pourtant eue en solde dans une petite boutique ! » (en échange d'une caresse positive on en donne une négative), ou les recevant avec grâce : « Merci, je l'aime beaucoup aussi ! » Incapable de les refuser : « Vous avez des jambes superbes » (le patron à sa secrétaire), « Merci » plus sourire et *in petto*, « J'aimerais mieux qu'il s'intéresse à mon travail » (Beaucoup de femmes sont conditionnées à ne pas savoir refuser un compliment sur leur physique, même quand ce n'est pas ce qu'elles souhaitent entendre). Etc.

Les règles qui régissent les échanges de signes de reconnaissance ne sont pas seulement familiales, elles sont aussi sociales. Il est généralement assez mal vu de refuser directement des caresses positives ou de s'en donner ouvertement à soi-même. Il est permis d'en donner, mais pas trop (Qui cherchez-vous à flatter ? Qu'attendez-vous en échange ?). Il est recommandé de les accepter avec modestie.

Rétablir le courant d'échange de caresses positives, réapprendre à les apprécier, à en donner, à en recevoir, à en demander, est une démarche fondamentale que l'analyste transactionnel utilise dans les groupes de développement, de thérapie, en entreprise, etc. C'est une nourriture nécessaire, gratifiante, et beaucoup plus saine que les caresses négatives dont beaucoup ont appris à se contenter. Ce n'est certes pas en un jour qu'une personne qui a appris à aimer donner et recevoir des caresses négatives sera prête à échanger leur amertume contre la douceur des caresses positives. Cependant, quand j'anime des groupes de travail, ou que j'y participe, c'est toujours avec un grand étonnement et un grand plaisir que je constate la rapidité avec laquelle dans un cadre sécurisant et chaleureux le flux d'échange de signes de reconnaissance positif peut s'établir. Je peux voir littéralement, sous mes yeux, après les premiers ricanements et les premiers instants de silence embarrassés, l'Enfant Libre de chacun s'épanouir, les traits se détendre, les rires de plaisir fuser, les yeux briller, au fur et à mesure que les gens s'exercent à « dire ce qu'ils aiment en eux et ce qu'ils aiment chez les autres ».

Les systèmes d'échange de caresses varient beaucoup d'un milieu à l'autre, d'un groupe social à un autre groupe social. Dans certaines professions, acteurs, chanteurs, hommes publics, on a besoin de hautes doses de signes de reconnaissance pour fonctionner. Dans d'autres, comme chez les chercheurs, ils sont plus rares, mais chacun a plus de portée pour celui qui le reçoit (les félicitations d'un collègue, d'un supérieur, l'attribution d'un prix).

Il est très instructif d'observer comment fonctionne le système de distribution de caresses dans un groupe organisé donné : entreprise, école, administration... Sont-elles rares ou abondantes ? Le flux circule-t-il surtout dans le sens supérieur vers inférieur ou s'établit-il à tous les niveaux. Un des services (le commercial, par exemple) est-il plus particulièrement gâté que les autres ? Quelles en sont les conséquences pour le bon fonctionnement de l'organisme ? Les autres services se livrent-ils à des « jeux » pour obtenir leur ration de caresses, même négatives ?

Une intervention dans le cadre d'une institution est toujours favorisée par l'examen attentif du système d'échange de signes de reconnaissance. Nous avons pu observer qu'une diminution brutale de la ration de caresses dans un service, par un cloisonnement d'aspect plus confortable et opérationnel, pouvait entraîner un dysfonctionnement de ce service en apparence inexplicable.

Je soupçonne même le système d'échange de caresses d'être susceptible d'une interprétation idéologique au même titre que le système d'échange économique. les vertus attribuées aux différents modes de distribution et aux différents types de caresses témoignent d'une véritable philosophie de l'existence. Le système pédagogique français, par exemple, institue le signe de reconnaissance positif (bonne note, félicitations, tableau d'honneur), rare, survalorisé, distribué au compte-gouttes et déverse pléthore de signes de reconnaissances négatifs (zéro de conduite, « peut mieux faire », « ne passera pas dans la classe supérieure »), alors que d'autres, tel le système israélien, ont choisi de reconnaître chez chaque enfant ses qualités propres. Certains, ceux qu'on appelle – avec parfois une nuance de mépris – « les humanistes », croient en la vertu des caresses positives. D'autres privilégient les caresses négatives pour résoudre les problèmes sociaux : « Les enfants ne comprennent que la manière forte ! », « Les fauteurs de troubles doivent être enfermés ! », « Les contrevenants seront punis ! » Ainsi, le Parent social vient s'ajouter au Parent familial pour établir et maintenir un système d'échange de caresses qui obéit à des règles précises.

Les transactions

Pour donner et recevoir ces stimulations et ces caresses qui leur sont nécessaires, les êtres humains établissent entre eux des transactions. Éric Berne définit ainsi la transaction : « L'unité de rapport social est appelée transaction. Si deux personnes, ou plus, se rencontrent, tôt ou tard l'une d'elles parlera ou manifestera par quelque autre signe qu'elle reconnaît la présence d'autrui. L'on nomme ce phénomène un stimulus transactionnel. Une autre personne, à ce moment, dira ou fera quelque chose qui se relie, de façon quelconque, à ce stimulus et qui a nom réaction transactionnelle. »

Une transaction c'est donc cet aller et retour (verbal ou non verbal) entre deux interlocuteurs qui échangent des informations, des caresses, des signes de reconnaissance, du temps, de l'énergie... entre deux interlocuteurs qui communiquent.

Communiquer, c'est échanger, c'est pourquoi une unité de communication s'appelle une transaction. Le terme a volontairement été choisi pour signifier ce caractère d'échange de tout rapport social et en communication, comme en matière d'échanges commerciaux, les transactions peuvent être honnêtes ou malhonnêtes. Elles peuvent être directes et franches, ou déguisées, ou de mauvaise foi.

Analyser ces échanges, ces transactions, c'est la démarche essentielle qu'utilise l'Analyse Transactionnelle pour démonter le mécanisme des relations et du comportement humain. Changer ces transactions, c'est une des façons les plus efficaces de changer et d'améliorer ces relations et ce comportement.

Quand on propose aux gens de démonter le mécanisme de leurs transactions, ils réagissent parfois négativement. Cela leur semble une démarche austère, aride, schématique. La crainte existe d'en arriver à dépouiller les rapports humains de tout ce qui fait leur charme et leur mystère. Je pense que cette crainte provient surtout de l'Enfant Adapté à qui on a appris qu'il ne fallait pas aller trop loin dans la quête du savoir : « N'essaie pas de comprendre pourquoi maman pleure », « Pourquoi papa est fâché », « Ne pose pas de questions indiscrètes sur les sujets tabous des vrais sentiments de tes parents entre eux et à ton propre égard », « Ne t'interroge pas sur tes propres sentiments envers ton père ou ta mère », « Moins tu en sauras sur ce qui se passe vraiment dans les rapports des gens de ta famille entre eux et mieux cela vaudra pour toi... » C'est ce qui se dit, plus ou moins explicitement, dans bien des familles. En fait, la connaissance des ressorts de la communication permet de vivre et de comprendre ses relations de façon plus intense et plus complète. De même que la connaissance d'un instrument permet de mieux en jouer, que l'approfondissement de sa langue permet d'en saisir toutes les nuances.

L'A.T. a élucidé le mécanisme des transactions, grâce à la mise en évidence de l'existence des états du moi. En conséquence, lorsque deux individus communiquent, ce ne sont plus seulement deux personnes qui se trouvent face à face, mais six états du moi (deux Parents, deux Adultes et deux Enfants) qui établissent des échanges. Ce n'est plus seulement Jacques et Pierre qui discutent ensemble, mais le Parent, l'Adulte et l'Enfant de Jacques et de Pierre qui ont des transactions.

Le schéma ci-dessous visualise les différentes voies que peuvent emprunter ces transactions :

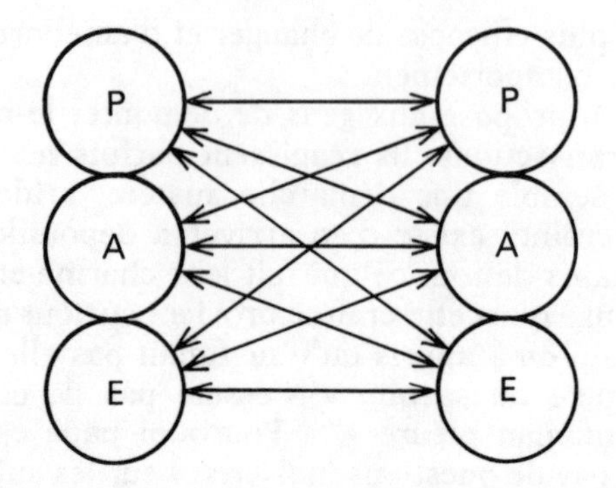

Chacun émettant de l'un de ses états du moi peut s'adresser à l'un ou l'autre des états du moi de son interlocuteur. Il y a donc neuf possibilités de stimuli transactionnels (plus encore si on y ajoute les sous-états). Certaines voies de communication sont cependant beaucoup plus fréquentées que d'autres, elles joignent :

– *Le Parent au Parent, exemple:*
« Vraiment, la circulation parisienne devient un véritable enfer ! »

– *L'Adulte à l'Adulte, exemple:*
« Nous arrivons dans une heure. »

– *Le Parent à l'Enfant, exemple:*
« Tiens-toi tranquille. »

– *L'Enfant au Parent, exemple:*
« Je n'en peux plus, je t'en prie, arrêtons-nous cinq minutes. »

– *L'Enfant à l'Enfant, exemple :*
« J'en ai ras le bol, vivement qu'on arrive ! »

Mais les choses deviennent vraiment intéressantes quand on a la réponse à ces différents stimuli. L'interlocuteur peut « choisir » de répondre ou non depuis l'état du moi interpellé, de s'adresser ou non à l'état du moi émetteur, définissant par là même le type de transaction échangée. Les phénomènes caractéristiques de la communication entre les êtres humains sont, en effet, illustrés par les types de transactions qu'ils établissent entre eux. Selon que celles-ci seront complémentaires, croisées, doubles ou tangentes, la communication sera aisée, conflictuelle, brouillée, ou prendra la forme d'un dialogue de sourds.

Les transactions complémentaires

Une transaction est dite « complémentaire » lorsque l'émetteur émet l'un de ses états du moi et vise un des états du moi de son interlocuteur et que celui-ci répond de l'état du moi visé vers l'état du moi émetteur. Sur le diagramme transactionnel, le stimulus et la réponse forment des lignes parallèles.

Exemples de transactions complémentaires

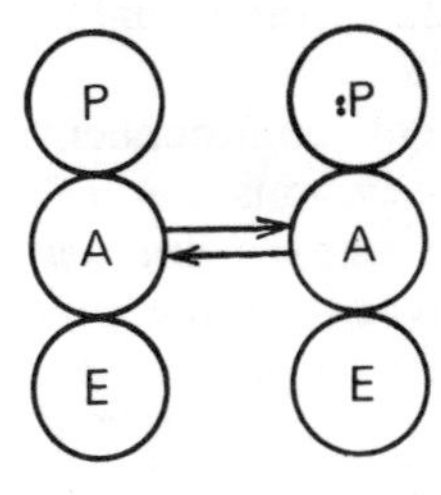

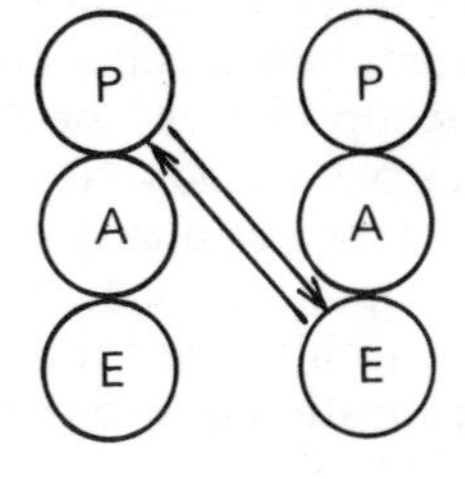

S. Quand arrivons-nous ?	S. C'est si difficile, je n'y arriverai jamais (E→P).	S. J'adore ça, c'est délicieux !
R. Dans une heure !	R. Laisse, je vais le faire pour toi (P→E).	R. Mmm !

Une des règles de la communication veut que lorsque des interlocuteurs ont des transactions complémentaires, la communication entre eux soit aisée et puisse se poursuivre sans heurt ni conflit.

Ainsi que nous le voyons sur le schéma, ces transactions peuvent mettre en relation n'importe lesquels des états du moi de deux interlocuteurs. Ce qui change, suivant les états du moi activés, ce n'est pas la qualité de ces transactions, mais leur objectif :

Les transactions P→P : Une façon de passer le temps

Ce type de transactions montre que, contrairement à ce qu'on pourrait penser, cette forme de communication n'est pas forcément la plus « efficace ». Deux personnes branchées sur leur Parent peuvent échanger à perte de vue des commentaires sur « la dureté des temps », « la faim dans le monde », ou « l'esprit obtus du chef de service », sans faire avancer la solution de tous ces problèmes d'un iota. De telles transactions permettent à leurs initiateurs d'échanger des signes de reconnaissance de façon agréable (pour eux) et de communiquer sans conflit.

Notons que beaucoup d'accroche-Parent commencent par : « Ne pensez-vous pas... » ou « Ne trouvez-vous pas... », introduction purement rhétorique qui est censée amener l'autre à partager une opinion – « Ne trouvez-vous pas que M. Untel aurait pu réfléchir avant d'agir ? », « Ne pensez-vous pas que la libéralisation des mœurs va beaucoup trop vite ? »...

Les transactions A→A : « opérationnelles »

Deux personnes qui communiquent, branchées sur leur Adulte, échangent en général des informations, qui leur permettent de faire avancer leurs affaires et de déboucher sur des conclusions pratiques. Ces transactions commencent souvent par des mots interrogatifs : « Quand? », « Où? », « Comment? », « Combien? », etc., « Quel est le meilleur chemin pour se rendre place de l'Opéra? », « Quand allons-nous organiser cette réception? », « Où avez-vous rangé ces dossiers? », « Comment prévenir les participants à la réunion? », etc.

Les transactions E→E : le plaisir et l'affectivité

Les transactions Enfant-Enfant sont les plus spontanées, les moins stéréotypées. Elles sont souvent non verbales, impliquent une action commune et un contact physique : danser ensemble, s'aimer, se prendre par la main et courir sur la plage, s'asperger d'eau dans les vagues, rire ensemble... c'est communiquer au niveau de l'Enfant. Dans les transactions verbales, l'Enfant commence souvent par une première personne, singulier ou pluriel : « Je suis fou de joie! », « Je suis si malheureux! », « Je t'aime tellement! », « Allons boire un coup », « Faisons la course »...

Les enfants rêvent et imaginent ensemble. Le duo des héros dans la chanson du film *Peau d'âne* est un bon exemple d'échange de transactions complémentaires au niveau de l'Enfant : « Nous irons ensemble à la buvette — Nous fumerons la pipe en cachette — Mais qu'allons-nous faire de tant de bonheur? », etc.

Les transactions P→E : une relation symbiotique

Tous, nous avons l'occasion d'avoir des transactions Parent-Enfant, d'être pris ou de prendre en charge, d'être autoritaires ou de nous soumettre. Mais si deux personnes ont entre elles des transactions Parent-Enfant presque exclusives, alors elles ont établi ce que l'A.T. appelle une symbiose, c'est-à-dire une relation dans laquelle chacun des partenaires n'utilise avec l'autre qu'une partie de sa personnalité, la structure psychologique complète étant, en quelque sorte, la somme de ces deux parties. Le schéma ci-dessous illustre le principe de la symbiose.

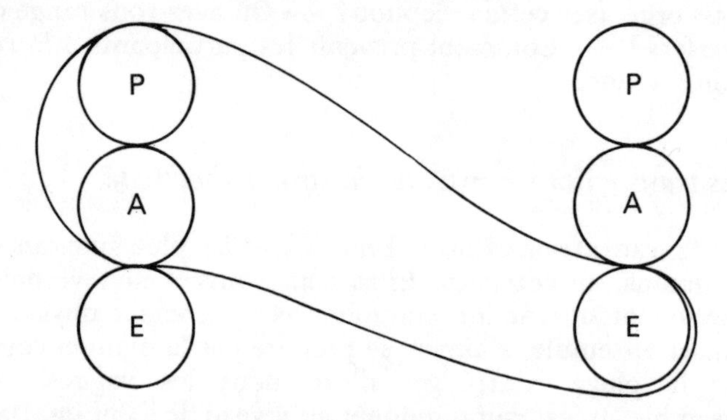

La première relation symbiotique est celle qui existe entre une mère et son enfant. Cet enfant qui, physiquement, ne fait qu'un avec sa mère avant sa naissance, continue, lorsqu'il vient au monde, à être pris en charge par elle. Son Enfant s'exprime, mais il a besoin du Parent et de l'Adulte de sa mère pour pouvoir survivre. Il arrive que cette symbiose se maintienne assez tard dans la vie de l'enfant, alors qu'il devrait déjà être capable de faire fonctionner tous ses états du moi. Il arrive également que des liens symbiotiques existent entre des personnes qui n'ont pas entre elles de filiation génétique. Une symbiose peut s'établir dans un couple, dans des relations professionnelles, entre un thérapeute et son client pendant une partie du traitement, etc. Ces symbioses ne sont souvent que le reflet d'une symbiose originelle non résolue. Le contrat implicite dans ce genre de relations est, pour l'un : « Protège-moi, guide-moi, prends en charge mes besoins, je ne suis pas capable de me débrouiller tout seul ! » ; et pour l'autre : « Je m'occupe de toi, tu peux compter sur moi, en échange empêche-moi d'exprimer mes vrais besoins, de reconnaître les craintes et les sentiments de mon Enfant ! » ; ce qui signifie : « L'un sans l'autre nous ne sommes rien. » Ces transactions complémentaires peuvent se cantonner à certains domaines : « Pour tout ce qui concerne les questions financières, je te laisse seul juge » (femme à son mari), « Vous êtes responsable de la bonne marche du service » (inférieur à supérieur hiérarchique).

Il peut également y avoir une répartition des rôles : « Tu t'occupes de tout ce qui concerne les questions de gros sous, en échange, je prends en charge les détails pratiques de notre existence », « Pour ce qui est de l'augmentation du chiffre d'affaires, de la politique générale du service, laissez-moi faire, occupez-vous de tout ce qui concerne mon organisation matérielle. »

Mari :	*Épouse :*
argent, profession, confort matériel...	nourriture, soins du ménage, enfants...

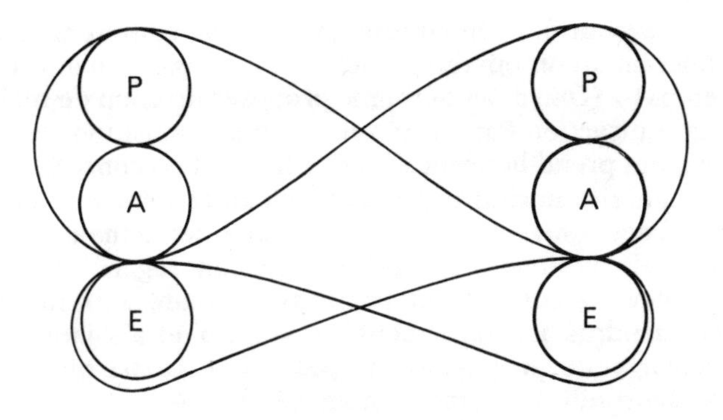

Pas de partage des inquiétudes,
des angoisses, des joies, (pas d'échanges au niveau Enfant) dans chacun des domaines.

Enfin, il arrive que les relations symbiotiques s'établissent en cascade, définissant une chaîne symbiotique. Chacun est pris en charge par quelqu'un et prend en charge quelqu'un d'autre.

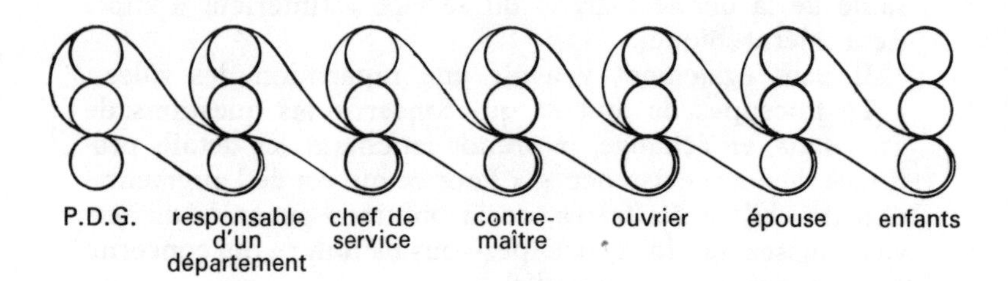

Une transaction Parent-Enfant se présente souvent sous la forme d'une invitation symbiotique. L'Enfant Adapté s'exprimant sans clairement formuler sa demande, espérant que quelqu'un (en particulier le partenaire habituel de la symbiose) l'entendra et s'occupera de résoudre son problème : « Je suis si fatiguée ! » (quelqu'un viendra peut-être à mon secours), « On étouffe ici » (qui va comprendre que j'aimerais qu'on ouvre la fenêtre ?), « Jamais je n'aurai fini à temps ! » (On va peut-être me proposer un coup de main.)

La transaction Parent-Enfant est une proposition symbiotique, qui prend la forme d'une critique, d'un conseil, d'une affirmation autoritaire concernant l'autre personne et qui commence souvent par une deuxième personne : « Vous avez l'air vraiment épuisé ! » (avec un regard apitoyé), « Tu devrais commencer par faire un plan, autrement tu n'en viendras jamais à bout ! », « Tu n'aurais jamais dû accepter cette proposition stupide ! », « Laisse-moi faire, tu te débrouilles comme un manche ! »

Les relations symbiotiques sont des relations souvent très satisfaisantes pour les partenaires qui y sont impliqués — tant qu'elles marchent. Elles permettent d'avoir des transactions complémentaires, d'obtenir des signes de reconnaissance (« Merci, que ferais-je sans vous ? », « Il s'occupe vraiment bien de moi »), de voir ses besoins comblés ou de les ignorer en prenant en charge ceux des autres. Les problèmes commencent quand la symbiose est rompue, départ ou disparition d'un des partenaires. Ou qu'elle menace de se rompre par la volonté d'un d'entre eux qui désire retrouver son autonomie, utiliser toutes ses capacités, traiter lui-même ses propres besoins. Alors, si cette démarche de récupération du plein usage de tous ses états du moi n'est pas menée de concert par toutes les parties en cause, cela risque d'entraîner des frustrations. Le système d'échange de transactions, de stimulations et de signes de reconnaissance est rompu et il faut veiller à le remplacer par des échanges au moins aussi satisfaisants. Mais cela est une autre histoire...

Les transactions croisées

Il arrive qu'un émetteur qui s'adresse à un des états du moi de son interlocuteur s'entende répondre depuis un autre état du moi que celui visé, par un message destiné à un autre état du moi que l'état du moi émetteur.

Il s'est alors produit une transaction croisée (croisée parce que la plupart du temps les lignes figurant ce type de communication sur le diagramme transactionnel se croisent). C'est le signal d'un conflit, d'un malentendu, d'une incompréhension entre les deux interlocuteurs. Inévitablement la communication est soit rompue, soit détournée de l'objectif initialement visé par l'émetteur, jusqu'au rétablissement de l'un ou l'autre type de transactions complémentaires.

Exemples de transactions croisées

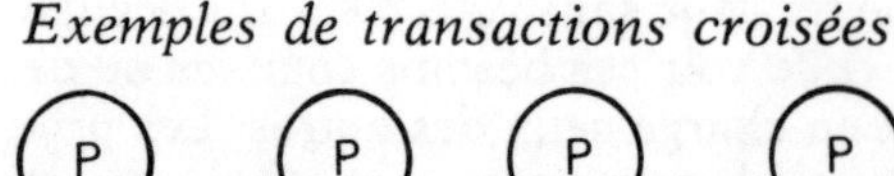

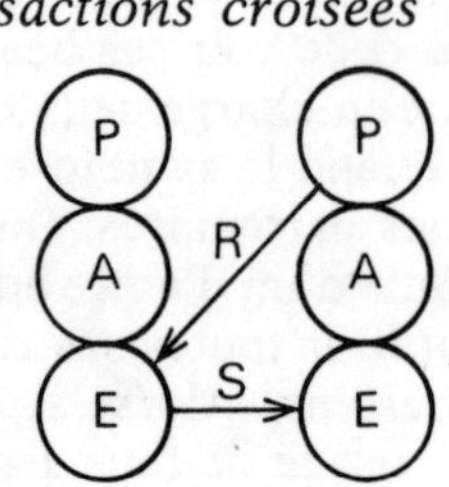

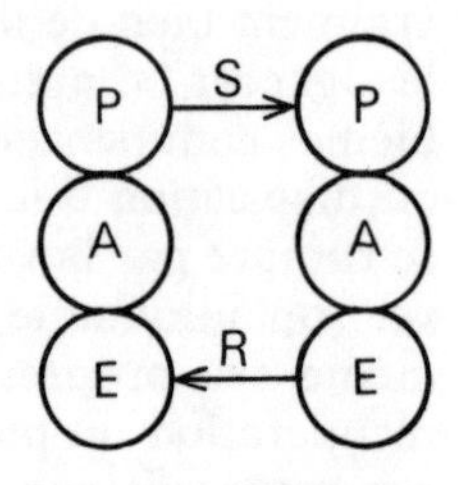

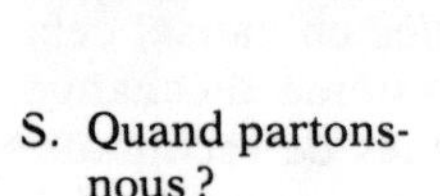

S. Quand partons-nous ?	S. Ce qu'on est bien ici ! (allongé au soleil, sur la pelouse).	S. Vous ne trouvez pas que ces gens sont d'un vulgaire !
R. Pourquoi êtes-vous toujours si pressé ?	R. C'est bien joli tout ça, mais tu dois terminer ton travail.	R. Pas du tout, je m'amuse comme un petit fou.
Suite probable : silence ou excuses et reproches d'un côté ou de l'autre. (P ➞ E)	*Suite probable :* bouderie, ou supplications et exhortations (P ➞ E) ou discussion sur les modalités du travail (A ➞ A).	*Suite probable :* silence et éloignement.

Les raisons pour lesquelles on en arrive à croiser les transactions sont très nombreuses.

Par exemple, une réponse non Adulte à un stimulus Adulte, qui constitue une des façons les plus fréquentes de croiser une transaction, vient souvent de sentiments négatifs chez l'Enfant. Il essaie de deviner les remarques, les commentaires, les pièges qui ne sont pas dans la transaction (« S'il me demande quand nous partons c'est parce qu'il doit penser que je ne me presse pas assez »). Il devance les reproches qu'il imagine. Il dispose de deux moyens pour cela, en attaquant (« Pourquoi êtes-vous toujours si pressé ? ») par une transaction Parent-Enfant, ou en se défendant par une transaction Enfant-Parent (« Je fais aussi vite que je peux ! »).

Il se peut aussi que l'état du moi interpellé soit très peu actif et ne sache pas reconnaître les stimulations qui lui sont destinées, en particulier au niveau de l'Enfant Libre. Comment répondre à quelqu'un qui vous propose de partager une danse, un jeu, des rires, alors qu'on ne sait plus (ou qu'on n'a jamais su) rire, danser, jouer; sinon par une remarque parentale, ou apparemment Adulte: « Ce n'est vraiment pas le moment ! », « Quelle idée bizarre ! », « Vous ne pensez donc qu'à ça ! » Il arrive également qu'on ne partage pas le système de valeurs du Parent de notre interlocuteur et qu'on ne puisse pas lui répondre depuis la même longueur d'onde, sur l'un ou l'autre sujet, etc.

Enfin, on peut choisir délibérément de croiser une transaction avec un de nos interlocuteurs. Car les transactions croisées ne sont pas toujours « dramatiques » ou néfastes. Elles peuvent être le fruit de la volonté assumée d'un des partenaires de ne pas se laisser entraîner là où l'autre veut le conduire. Elles permettent de refuser une invitation symbiotique (c'est une démarche qu'utilise souvent le thérapeute) en faisant une réponse Adulte-Adulte à une demande Enfant-Parent, ou, de la même manière, une proposition symbiotique. Elles évitent également de se laisser entraîner dans des échanges Parent-Parent que l'on peut juger stériles, ou même de repousser les avances d'un Enfant dont on n'a pas forcément envie de partager les plaisirs.

Les transactions doubles

Toutes les transactions que nous avons analysées jusqu'à présent présentent au moins l'avantage d'être directes et aisément décodables. Malheureusement – ou heureusement – la communication humaine ne s'établit pas toujours à un seul niveau. Très souvent nous émettons, et nous recevons, des messages doubles. A un niveau apparent, social, un seul état du moi s'exprime chez chacun des partenaires (en général l'Adulte) alors que de façon cachée et au niveau psychologique, deux autres états du moi sont mis en jeu. Sur le diagramme transactionnel, les messages apparents sont représentés en plein, les messages cachés en pointillés.

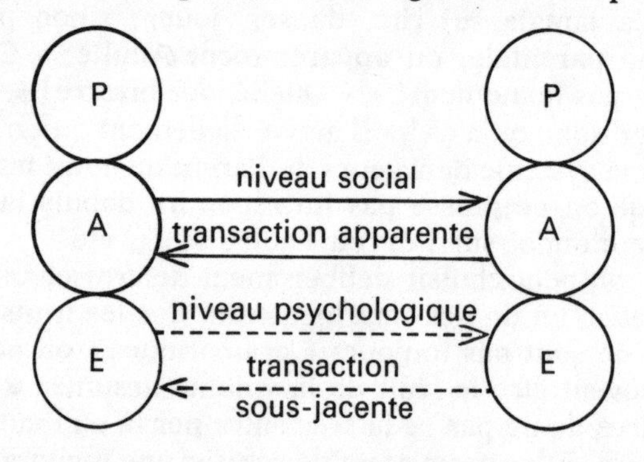

Ces transactions sont appelées transactions déguisées ou à double fond. La transaction en traits pleins est la transaction apparente, celle en traits pointillés est la transaction sous-jacente. Il est très difficile de caractériser les transactions déguisées en les isolant de leur contexte et en les séparant du langage non verbal qui les accompagne (peu susceptible d'être rapporté dans un texte écrit). En fait, n'importe laquelle des transactions prises dans les exemples précédents pouvait contenir une transaction sous-jacente. Pour tenter d'éclairer mon propos, je vais cependant répertorier les différents éléments qui – ensemble ou séparément – permettent de déceler l'existence de telles transactions.

La situation

Le contexte dans lequel se déroulent les transactions est un des indicateurs de l'existence de transactions doubles. Ainsi, si un collègue de travail propose à sa collaboratrice : « Et si nous terminions ce travail chez moi autour d'un verre ? », et qu'ils ont entre eux des rapports uniquement professionnels, clairement définis. Il s'agit sans doute là d'une banale transaction Adulte-Adulte. En revanche, s'il lui fait la cour depuis un certain temps et qu'il augure plus et mieux de ce tête-à-tête qu'un simple échange professionnel, il y a toutes les chances pour qu'une transaction sous-jacente, au niveau Enfant-Enfant, soit également échangée.

De même dans le cas d'une mère qui dit à sa fille : « As-tu commencé à faire tes devoirs ? » (alors qu'elle sait qu'il n'en est rien). Il s'agit sans doute là d'une transaction déguisée : A→A au niveau apparent, P→E au niveau sous-jacent.

Le langage non verbal

En reprenant les exemples précités, le langage non verbal qui accompagne les transactions est également un signe qui permet de reconnaître l'existence de transactions sous-jacentes.

Dans le premier cas, la proposition aurait été accompagnée d'un sourire entendu, d'un regard brillant. Dans le second, la remarque formulée sur un ton autoritaire et avec un regard sévère.

Les mots

Les transactions sous-jacentes peuvent aussi être décelées grâce à la présence de certains mots glissés dans la transaction apparente : « Où as-tu *encore* mis le trousseau de clés ? », « Quand vas-tu *te décider* à répondre à cette lettre ? » (transaction apparente : Adulte-Adulte, transaction sous-jacente : Parent-Enfant).

Les réactions

Enfin, outre les différents signaux de transactions déguisées ci-dessus répertoriés, nos propres réactions devant une transaction apparemment simple peuvent être un bon indicateur de l'existence d'un message sous-jacent. En effet, si en réponse à des stimuli Adulte-Adulte, nous sentons « accroché » un autre état du moi, que nous éprouvons un sentiment de malaise, de gêne, de colère... deux possibilités sont à examiner : soit notre Adulte fonctionne mal sur le sujet traité, soit notre Petit Professeur a déjà décelé la transaction cachée sous le message apparent.

Les transactions déguisées sont le pain quotidien de la communication humaine. Elles en font parfois le charme, elles sont utilisées dans l'humour, dans une certaine forme de dialogue amoureux, elles tissent des réseaux de connivence dans des relations professionnelles, familiales, amicales, etc. Le revers de la médaille tient à ce que la plupart d'entre elles sont (les demandes et les réponses n'étant pas clairement formulées) l'instrument privilégié de la mauvaise foi, des « jeux » en terme d'A.T., voire de simples malentendus :

« Mais, monsieur, je ne suis pas celle que vous croyez ! » (la jeune femme devant les avances de son collaborateur).

« Pourquoi me réponds-tu sur ce ton ? » (la mère devant la réaction violente de sa fille).

« Je te demandais seulement où étaient les clés ! » (l'époux en réponse à sa femme indignée), etc.

En fait, si on souhaite ne pas se laisser entraîner dans ces échanges de transactions déguisées, avec leurs conséquences, le meilleur moyen – bien que pas toujours le plus

facile – est de mettre le plus tôt possible en évidence la transaction cachée : « S'il s'agit d'autre chose que d'une réunion de travail, je préfère que nous restions au bureau. »
« Veux-tu dire que je devrais me mettre à mes devoirs ? »
« Est-ce que tu crois que je les cache pour t'ennuyer ? »...

Les transactions angulaires

Les transactions angulaires sont également des transactions doubles, mais la différence avec les précédentes c'est que, dans ce cas, un des interlocuteurs a volontairement décidé d'activer deux des états du moi de son interlocuteur, de le manipuler, lui-même restant maître de la transaction, gardant son Adulte aux commandes. C'est une des transactions privilégiées d'une certaine forme de vente. Exemple : « Nous avons bien ce très beau chemisier en soie naturelle, mais bien sûr il est plus cher que ce que vous comptiez mettre ! » R : « Je le prends quand même ! » (stimulus apparemment Adulte-Adulte, mais destiné à accrocher l'Enfant : « J'ai honte de ne pas pouvoir me le payer », ou le Parent « Non mais, de quoi je me mêle ! »)

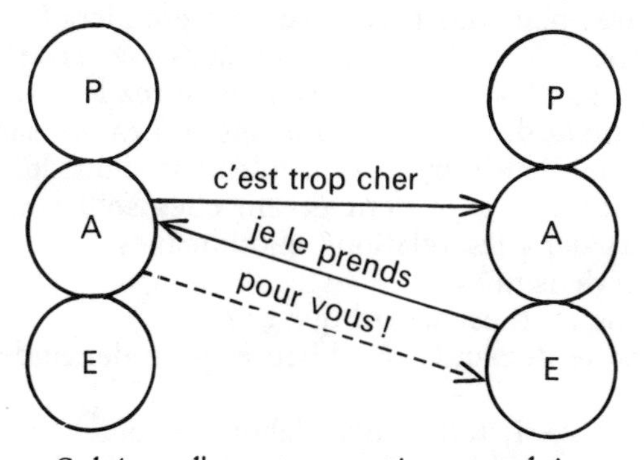

Schéma d'une transaction angulaire

Dans le cas de transaction angulaire, l'initiateur ne peut pas se « sentir floué » ou en vouloir à son interlocuteur si celle-ci échoué. Il a tenté sa chance, tant pis si la manœuvre n'a pas réussi.

Les transactions tangentes

Dernier modèle recensé, les transactions tangentes échappent à la classification en termes d'échange, puisque, dans ce cas, la réponse au stimulus transactionnel n'en est pas une, mais se situe à côté, à côté du message émis, de la question posée, de l'état du moi émetteur : du partenaire dans la transaction, entraînant un véritable dialogue de sourds. Un exemple de transaction tangente est offert par l'histoire juive bien connue : « Quelqu'un demande à un Juif : « Pourquoi les Juifs répondent-ils toujours à une question par une autre question ? » et le Juif répond : « Et pourquoi les Juifs ne répondraient-ils pas toujours à une question par une autre question ? »

Les débats politiques sont une mine inépuisable de transactions tangentes : « Cher monsieur, savez-vous qu'avec les mesures que vous préconisez, les premiers lésés seront les ouvriers ? », « Cher ami, connaissez-vous le sort des ouvriers dans les pays dont vous admirez le système politique ? » (*quid* des ouvriers français ?). Les transactions de ce type ne fleurissent pas seulement dans les recueils d'anecdotes et sur le petit écran, elles sont couramment échangées dans les relations quotidiennes.

« D'où viens-tu ? »

Réponse : « Il est si tard que ça ? »

« Je ne te demande pas l'heure, je te demande d'où tu viens ! »

Réponse : « Il fait si bon dehors ! », etc.

Les transactions tangentes sont aussi appelées transactions de redéfinition. Ce sont en effet des tentatives que fait celui qui répond pour redéfinir le sujet du débat en plaçant celui-ci sur un terrain où il se sent plus sûr, qu'il connaît mieux, dans un cadre de références qui lui est familier. Le demandeur est perçu, à tort ou à raison, comme un inquisiteur qui essaie de coincer l'autre. Les réponses semblent alors ne pas lui être adressées mais être destinées à un autre interlocuteur, le plus souvent absent, aux reproches d'un Parent interne, à une clientèle, à un public à qui on « doit des comptes ».

La structuration du temps

Plus ou moins long et, en principe, non prévisible à l'avance, nous passons tous un certain temps sur cette terre que nous utilisons de façon très diversifiée. Travailler, faire du sport, regarder la télévision, voyager, faire l'amour, lire, etc., sont parmi les différentes activités qui occupent notre temps, et il serait fort long d'en établir la liste exhaustive. Les activités humaines peuvent faire l'objet de différents classements, par exemple, nous pouvons distinguer les temps de travail, de loisir et de repos. L'A.T., quant à elle, considère que, en dépit de leur apparente diversité, et indépendamment de leur contenu formel sous ces multiples façons d'occuper notre temps, se cache une structuration commune qui répond à la nécessité de l'organiser pour recevoir et donner les stimulations et les signes de reconnaissance dont nous avons besoin. L'un a un Parent très actif qui cherche à se manifester. L'Adulte de l'autre doit s'engager dans des tâches effectives aux résultats mesurables. Un troisième a un Enfant Libre expansif qui veut pouvoir s'exprimer. Celui-ci aime donner et recevoir des caresses positives. Celle-là recherche surtout des signes de reconnaissance négatifs que cet autre est prêt à distribuer, etc. Pour satisfaire tous ces besoins, pas toujours compatibles, chacun cherche les partenaires adéquats et chacun choisit ou crée les situations où il aura le plus de chances d'obtenir ce qu'il veut. Ce faisant, il structure le temps dont il dispose de six façons différentes, qui sont : le retrait, le rituel, le passe-temps, l'activité, les jeux et l'intimité.

L'ordre dans lequel sont cités ces différents modes d'utilisation du temps n'est pas fortuit, il dépend du type, de la quantité et de la qualité des transactions et des signes de reconnaissance qui y sont échangés. Il est fonction de la richesse, de l'intensité et de la complexité des relations qu'ils entraînent. Il en découle une implication psychologique et donc un « risque » croissant pour les partenaires qui y sont engagés.

Le retrait

Le retrait s'oppose à toutes les autres formes de structuration du temps. Il implique l'absence de toute transaction, de tout échange de signes de reconnaissance. Dans le retrait, on se coupe de la société de ses semblables, soit physiquement, en s'isolant, soit mentalement, en se réfugiant dans ses pensées, en poursuivant un dialogue intérieur, quasiment sourd et aveugle à ce qui se passe autour de soi, en étant « ailleurs ». On peut vivre le retrait aussi bien dans la solitude de sa chambre qu'au milieu d'une réunion de travail animée.

Comme toutes les autres formes de structuration du temps, le retrait n'est pas un bien ou un mal en soi. Tout dépend de la façon dont on le vit et s'il s'équilibre avec d'autres types de relations aux autres. Il peut être un choix, on peut couper volontairement le flot des stimulations extérieures, pour se retrouver, pour faire le point, pour se reposer – le sommeil est une forme de retrait. Il peut aussi naître d'une crainte. Se protéger du bouclier du retrait permet de ne pas risquer d'être blessé par les stimulations extérieures. A l'extrême, une personne qui considère le monde extérieur comme trop effrayant, qui ne sait ni comment donner ni comment recevoir les signes de reconnaissance dont elle a besoin, peut « choisir » de s'enfermer dans un retrait quasi total, et couper toutes les voies de communication, n'émettant et ne recevant presque plus rien.

Le rituel

Le rituel consiste en des échanges de transactions parfaitement codés, qui suivent une procédure fixée à l'avance et qui ne laissent aucune place à l'imprévu. Les formules de salutations, les premiers échanges des communications téléphoniques, les rites religieux... sont de ce type. Dans les relations humaines, les rituels se voient attribuer un temps précis et limité – au téléphone, par exemple, il est recommandé de dire allô, d'échanger une ou deux transactions passe-partout sur la santé des uns et des autres, et de passer au but de l'appel. Ils sont non impliquants et prévisibles (Vous demande-t-on comment ça va ? Il est d'usage de répondre : « Très bien merci ! » Donner des informations détaillées sur son état de santé n'est pas du tout indiqué). Ils sont répétitifs. Enfin, ils sont nécessaires. La dose de rituel quotidien représente en effet, en quelque sorte, le minimum vital de signes de reconnaissance auquel chacun d'entre nous a droit de la part des autres. A telle enseigne qu'il m'est arrivé de résoudre un problème de communication entre une personne et les gens de son service en lui recommandant de se soumettre au rituel de salutations en usage dans ce service. Il négligeait, en effet, de saluer chacun en partant et en arrivant, considérant cela comme du temps perdu et de l'hypocrisie. Moyennant quoi, on le considérait comme fier, hautain, peu aimable (Pour qui se prend-il ?). On lui reprochait en somme de ne pas participer à la distribution « quotidienne et obligatoire » de signes de reconnaissance minimale.

Chaque civilisation, chaque milieu social, chaque famille développe son propre système d'échanges ritualisés. La liste en est longue : le long rituel de salutations oriental, indispensable avant d'en arriver aux transactions commerciales, le rituel d'acceptation et de refus japonais, les différents savoir-vivre en usage dans la société occidentale, les rituels militaires et religieux, les rituels particuliers au sein de telle ou telle entreprise (Doit-on serrer la main à chacun en arrivant ou se contente-t-on d'un simple signe de tête ?), les rituels des baisers d'accueil et d'au revoir au sein des familles ou des groupes d'amis. Par exemple, les adolescents d'aujourd'hui ont développé le rituel de la bise à chacun en arrivant et en partant, etc.

Tous ces rituels évoluent plus ou moins lentement. Ils sont, en tout cas, signes d'appartenance à un groupe, à une société, à un milieu social, il est important de les connaître pour se faire reconnaître. Tout utiles et nécessaires qu'ils soient, les rituels ne sont cependant pas une nourriture psychologique qui « tient vraiment au corps ». La contrepartie de leur caractère non impliquant et stéréotypé est qu'ils ne sont pas personnalisés et n'offrent pas de stimulations et de caresses spécifiques recherchées. Il faut donc, soit — si on craint les relations trop proches — s'en contenter, et, en instituant des rituels très longs et très complexes, en consommer beaucoup. Soit rechercher d'autres formes de structuration du temps.

Le passe-temps

Le passe-temps est un des moyens dont nous disposons pour nous faire reconnaître de façon plus directe par l'autre et pour échanger d'agréables stimulations. L'A.T. donne au terme de passe-temps le sens d'échange, de transactions et de signes de reconnaissance, qui permettent de passer le temps de façon à peu près prévisible et sans prendre de grands risques psychologiques. Eric Berne, dans son livre *Des jeux et des hommes*, dénombre plusieurs passe-temps auxquels il donne des titres évocateurs, tels que « parent d'élèves », « chiffons », « voitures », « c'est affreux ! », etc. Nous pouvons y ajouter « télévision », « dernières ou prochaines vacances », « politique », et la liste est loin d'être close. A l'énoncé de ces titres on aura compris qu'il s'agit de toutes ces conversations sur la « pluie et le beau temps », autour d'une tasse de thé ou d'un verre, à l'arrêt de l'autobus, ou à la pause-café, dans une salle de réunion en attendant « que les choses sérieuses commencent »...

Les fonctions et les buts du passe-temps sont très divers. Ils permettent la stimulation de nombreux états du moi : à tout seigneur tout honneur, le Parent est un des états du moi le plus actif dans le passe-temps :

« Si vous voulez mon avis, tout se déglingue ! On ne peut plus compter sur rien ni sur personne !

– Ne m'en parlez pas, même la poste en France n'est plus ce qu'elle était, j'ai reçu hier une lettre postée il y a dix jours.

– Vous avez lu l'article de *Que choisir ?* sur la poste, c'est un scandale !

– Et ces grèves à la télé !

– Il leur faudrait une bonne guerre !

— Cher monsieur, je ne suis pas loin de partager votre avis. » Etc. (Passe-temps du type « C'est affreux ! ».)

Mais l'Enfant peut également s'y trouver engagé :

« Vous avez vu le dernier modèle à injection, une pure merveille !

— Extra, je l'ai essayé hier sur autoroute, c'était le pied !

— Elle monte à combien ?

— J'ai poussé une pointe à 170 !

— Et la limitation de vitesse ?

— Leur limitation de vitesse, vous savez ce que j'en fais ? » (*Rires...*)

Même l'Adulte peut y trouver son compte en glanant quelques informations au passage.

En même temps que des stimulations, des signes de reconnaissance sont échangés. Chacun des partenaires du passe-temps identifie et reconnaît l'autre en face de lui, les rôles sont bien répartis, un climat d'approbation générale règne, les rires — même complaisants — les « c'est tout à fait vrai ! », les hochements de tête, qui ponctuent la conversation, sont des signes de reconnaissance certes très socialisés et indistinctement distribués, mais qui sont toujours bons à prendre.

Comme pour les rituels, mais de façon encore plus diversifiée, à différents milieux sociaux, professionnels, familiaux, correspondent différents passe-temps. Pour les jeunes : « la moto », « les profs », « les disques »... Pour les plus âgés : « de mon temps », « c'est affreux ! », « le temps qu'il fait », « mes vieilles douleurs ». Pour les cadres : « maison de campagne », « dernières vacances », « la boîte ». Pour les secrétaires : « télévision », « bobo d'enfants », « gynécologue », etc. Il n'y a pas si longtemps, après un dîner en ville, les femmes étaient censées se réunir au salon pour une séance « chiffons » ou « femmes de ménage », et les hommes se réfugier au fumoir pour une partie de « voitures », de « tabac » ou de « politique ».

Plusieurs règles implicites codifient les bons passe-temps. La répartition des temps de parole en fait partie.

Sauf s'il est un ténor du passe-temps, celui qui n'observe pas cette règle sera jugé comme un raseur, qui ne veut pas « lâcher le crachoir » – qui monopolise les signes de reconnaissance. Changer de passe-temps, passer, par exemple, des « joies du sport » aux « bonnes blagues », est un virage qu'il faut savoir habilement négocier. C'est souvent tout le secret des bonnes hôtesses. Mais le plus difficile reste encore de changer de ton (d'état du moi) au cours d'un passe-temps sur un sujet donné. Glisser, par exemple, d'un « C'est affreux, le gouvernement, les impôts, la circulation... » branché sur le Parent Normatif à un « Mais non, la vie est belle, tout va bien... » Parent Nourricier ou Enfant, sans croiser la transaction et couper la communication, demande un art du passe-temps consommé.

Outre les avantages déjà recensés, le passe-temps présente, au niveau social, l'intérêt de combler le creux entre les échanges vite desséchants du rituel et les relations à la fois plus impliquantes et plus risquées des autres formes de structuration du temps.

En effet, et c'est là un autre des buts du passe-temps, pendant qu'il se déroule, notre Petit Professeur est en éveil pour reconnaître parmi les personnes présentes celles qui seront de bons partenaires d'activité de jeux ou d'intimité.

Pour conclure sur ce sujet du passe-temps, je ne résiste pas à l'envie de citer une anecdote personnelle qui en illustre fort bien les mécanismes. Il s'agit de ma fille, qui avait à l'époque une dizaine d'années, et qui se réjouissait à l'idée de narrer à ses camarades les détails des vacances particulièrement réussies que nous passions ensemble. A ma question « Est-ce que ça va les intéresser ? », elle répondit : « Je ne crois pas, je ne sais même pas si elles m'écoutent vraiment, mais après elles peuvent me raconter ce qu'elles ont fait.

– Et toi, cela t'intéresse ?

– Pas plus que ça, mais c'est sympa, et puis... il y en a toujours qui n'ont rien à raconter ! »

L'activité

Il s'agit là de l'activité orientée vers un but. S'engager dans cette forme de structuration du temps, c'est entreprendre une série d'opérations – actions et transactions – qui visent un objectif clairement défini, concret, et dont les résultats sont mesurables. L'activité, en termes d'A.T., n'est pas toujours synonyme de travail. Celui-ci, certes, manuel et intellectuel en fait partie – mais comprend également les activités de loisir ou de sport. Réparer une toiture qui fuit, préparer une réunion de travail, mais aussi faire une partie d'échecs ou jouer au tennis représentent différentes façons de structurer son temps par l'activité.

Celle-ci peut rassembler des partenaires associés dans une même tâche, elle peut également s'exercer dans la solitude. Dans ce cas, elle n'est pas confondue avec le retrait (sauf si on prend prétexte de l'activité pour vivre le retrait) car, même s'ils ne sont pas physiquement présents dans l'action, les autres interviennent de diverses manières dans le déroulement d'une activité. Destinataires du fruit du travail accompli, instigateurs ou spectateurs de l'action menée, témoins de la réussite ou de l'échec de l'entreprise ou contrôleurs de l'avancement des travaux, ce sont des partenaires influents de l'activité : « Paul aura son pull avant l'hiver ! », « Ils ne regretteront pas de m'avoir confié ce travail ! », « Si je respecte les délais, ils me chargeront peut-être de leur prochain projet ! », « Si je continue à m'entraîner, je le battrai au tournoi du mois de mai ! », etc.

Pendant le déroulement de l'activité, nous continuons ainsi à avoir des transactions avec des interlocuteurs qui, même absents, y interviennent activement.

Tous les états du moi peuvent être activés dans cette

forme de structuration du temps. Le Parent quand il s'agit d'enseigner, d'expliquer, d'aider l'Enfant dans les activités ludiques et, bien sûr, l'Adulte, qui en est souvent le moteur, qui est aux commandes pour fixer les objectifs, décider de la meilleure façon de les atteindre, organiser le temps, etc.

Dans l'activité, les transactions échangées sont le plus souvent complémentaires, Adulte-Adulte, Enfant-Enfant ou Parent-Enfant. Si, par exemple, deux étudiants décident de consacrer leur après-midi à préparer un examen, ils se maintiendront en activité tant que leurs Adultes respectifs resteront aux commandes et que la majorité de leurs transactions seront complémentaires. Sinon, ils auront glissé dans une autre forme de structuration du temps, passe-temps, jeu ou intimité...

Les signes de reconnaissance obtenus par le biais de l'activité sont plus personnalisés, plus forts et plus impliquants que ceux récoltés dans les trois premiers modes d'utilisation du temps. En contrepartie, leur recherche est plus « risquée ». Leur distribution est souvent assujettie à une notion de compétition et de comparaison. Elle n'est pas prévisible, on ne les obtient pas à coup sûr et parfois on en récolte de négatifs au lieu des positifs espérés : « Je m'attendais à mieux de votre part ! », « Ce n'est pas mal, mais allez avoir ce qu'a fait Untel, c'est superbe ! », « Maman n'a même pas remarqué que j'avais tout nettoyé en son absence ! », « 3 en maths, alors que je croyais avoir su répondre ! »

Les sifflets – ou pire encore l'indifférence – reçus au lieu des bravos espérés, ont souvent pour conséquence le rejet de l'activité au profit d'autres formes de structuration du temps aux résultats moins aléatoires. « Tout le travail que j'abats ne me donne droit qu'au silence quand c'est bien fait et aux reproches quand c'est mal, je connais d'autres façons moins fatigantes d'obtenir des reproches ! » C'est pourquoi un des secrets du bon animateur d'équipe consiste à être capable de distribuer à bon escient des signes de reconnaissance pour l'activité déployée autour de lui :

« Toute peine mérite salaire », mais également « Toute activité mérite sa juste dose de signes de reconnaissance ».

Le Parent interne intervient pour encourager, soutenir les efforts déployés, applaudir aux résultats obtenus : « C'est du beau travail ! », « Je peux être content de moi ! », « Mon petit vieux, je ne te croyais pas capable de cela ! », etc.

Qu'elles soient internes ou externes, positives ou négatives, ce qui caractérise les caresses résultant de l'activité, c'est qu'elles sont conditionnelles. La personne est appréciée et reconnue ou critiquée et rejetée pour son travail bien ou mal fait, la partie gagnée ou perdue, l'habileté ou la maladresse de son jeu... Les gens qui dépensent toute leur énergie dans de l'activité, qui passent leur temps à entreprendre et à réaliser, qui ne savent pas se reposer, sont souvent des gens qui ont appris à ne reconnaître et à n'apprécier que les signes de reconnaissance conditionnels : « Maman et papa t'aiment surtout quand ils sont fiers de ce que tu fais, de ta rapidité à apprendre à parler, à lire, de ta façon de te tenir à table, de tes brillants résultats scolaires », etc. Pour continuer à recevoir l'approbation du Parent interne et pour être capable d'apprécier les signes de reconnaissance externes, il leur faut suivre ce même modèle, pour être reconnu il ne suffit pas d'être, il faut surtout faire.

Les jeux

Entrer dans le domaine de ce que l'A.T. appelle « les jeux », c'est entrer dans un univers touffu, complexe et passionnant. Eric Berne leur a consacré son best-seller *Des jeux et des hommes*.

Tous les livres sur l'A.T. publiés depuis les commentent et les illustrent abondamment. Le concept a débordé ce cadre pour être repris par d'autres disciplines. C'est une des grilles de l'A.T. qui a sans doute fait l'objet du plus grand nombre d'articles et de recherches. Chaque théoricien a proposé son éclairage personnel sur les jeux. Et, à mon tour, je vais m'employer à les décrire et à les expliciter. L'acharnement mis à sucer cet os légué par Berne et à s'en délecter tient au fait que ce concept est un des plus simples et des plus compliqués de l'A.T. Qu'on se refuse d'abord à en admettre la réalité (comment est-il possible que les gens s'acharnent à rechercher des coups de pied ?) et qu'on en reconnaisse en même temps l'évidence. Qu'on croit avoir compris leur mécanisme pour s'apercevoir qu'on s'est trompé et que finalement on ne saisit parfaitement la dynamique du jeu que lorsqu'on a reconnu les siens propres.

On voit qu'il s'agit là d'un concept qui mérite de longs développements, trop longs pour qu'ils trouvent leur place dans ce chapitre. Je traiterai donc en détail des jeux dans la partie de ce livre consacrée au scénario auquel ils sont très directement liés. En tant que forme essentielle de structuration du temps, je me contenterai ici de les décrire et de les illustrer aussi brièvement que possible.

Le retrait et le rituel sont fort pauvres en stimulations et en caresses, le passe-temps ne nous en offre pas de spécifiques et de personnalisées, celles obtenues par l'activité demandent beaucoup d'énergie et ne sont pas garanties. Comment faire pour obtenir la nourriture psychologique dont j'ai besoin ? Comment faire pour permettre à mon Parent Critique si actif de donner sa pleine mesure ? Pour que mon Parent Nourricier débordant du désir de se manifester puisse avoir l'occasion de sauver les autres ? Pour que mon Enfant reçoive ces caresses, peut-être négatives et qui font mal, mais qui sont le signe incontestable que c'est bien à lui qu'on s'adresse, qu'on l'a reconnu dans sa spécificité, puisqu'on lui répète une fois de plus qu'il est stupide, ou incapable ou si malheureux ? Pour obtenir tout cela et plus encore, il est peu concevable de le demander directement, une solution de remplacement consiste à entraîner les autres, ou à me laisser entraîner dans des jeux psychologiques qui me permettront au bout d'un certain nombre de « coups » d'obtenir ce « bénéfice » que je recherche.

Ce terme de jeu, pour désigner ces stratagèmes psychologiques dans lesquels nous investissons une grande partie de notre temps et de notre énergie, a été choisi en référence directe à ce qu'on appelle jeu (de société ou autre) dans le langage courant. Dans les deux cas, il faut deux ou plusieurs partenaires — les plus acharnés s'exerçant même à jouer en solitaires. Ils obéissent les uns et les autres à des règles précises. Ils comportent une série de coups qu'on peut répertorier. La seule différence c'est que, contrairement à certaines apparences, les jeux psychologiques se terminent plus souvent avec deux perdants qu'avec un ou plusieurs gagnants.

En voici un exemple (Scène de la vie quotidienne dans une famille) :

Le père : « Surtout que personne ne me dérange, je dois absolument travailler à un rapport urgent ce soir ! »

Exit la mère et les enfants, la porte du bureau paternel est refermée. Une heure passe. Pendant ce temps, le silence le plus complet a régné dans la maison. Le père dans son bureau a feuilleté ses dossiers, sucé son stylo, regardé par la fenêtre, griffonné dix lignes, taillé ses crayons, etc.

Un coup discret est frappé à la porte.

Voix du père, rogue : « Oui, qu'est-ce que c'est ? »

La mère apparaît dans l'entrebâillement de la porte :

« Chéri, pour dîner, préfères-tu des pommes de terre sautées ou des haricots verts ? »

Le père furieux : « C'est bien le moment, je suis en plein travail, j'avais pourtant dit que je ne voulais être dérangé sous aucun prétexte ! On ne peut pas avoir la paix dans cette famille ! Maintenant, je ne sais plus du tout où j'en suis ! »

Cette séquence relationnelle illustre ce qu'est un jeu en tant que mode de structuration du temps.

Celui-ci se déroule dans un laps de temps donné et comporte une série de transactions avec un début — la première intervention du père — et une fin — sa « juste » colère.

Il a un but apparent : l'activité du père dans le calme, et un but psychologique caché aux multiples aspects : pour le père, se déculpabiliser de sa non-activité en y associant son épouse; pour la mère, exercer son Parent Nourricier; pour les deux protagonistes, finir par échanger des signes de reconnaissance négatifs.

Ce jeu qui, comme tous ceux recensés par l'A.T., a un titre, s'appelle : « Regarde ce que tu m'as fait faire »...

Si voulant s'engager dans de l'activité, on se retrouve en train de gaspiller son énergie dans des échanges infructueux et irritants, si on clôt de nombreuses séquences relationnelles avec l'impression désagréable de s'être une fois de plus « fait avoir », ou en éprouvant la joie mauvaise d'avoir « Ah ! Ah ! bien coincé l'autre ». Si on a l'habitude quand on croit chercher à obtenir quelque chose d'avoir régulièrement le contraire de ce qu'on souhaitait. Si voulant aider les gens, on finit par se faire rabrouer... c'est qu'on utilise une grande partie de son temps en jeux.

Certes, toutes les formes de jeux et tous les jeux ne sont pas aussi négatifs et destructifs qu'il y paraît au premier abord. On peut y jouer de façon légère et peu risquée — aussi bien tissent-ils la trame de notre vie quotidienne et rares sont ceux qui peuvent se vanter de ne jamais « jouer » dans leurs relations avec les autres — il en est même de positifs. Cependant, c'est dans des jeux pervers, joués avec intensité et de façon dramatique, qu'est utilisée le plus d'énergie destructrice, que les relations humaines viennent s'embourber, que sont échangés les signes de reconnaissance négatifs les plus virulents. C'est pourquoi il est utile de savoir les reconnaître et les démasquer chez soi et chez les autres, pour les désamorcer, en atténuer la portée et tenter de les remplacer par d'autres formes de structuration du temps plus gratifiantes.

L'intimité

Définir l'intimité n'est pas chose aisée. Alors qu'on pouvait reconnaître une progression quantitative des échanges de signes de reconnaissance et de transactions entre les formes de structuration du temps précédentes, avec l'intimité on fait un saut qualitatif. La qualité des échanges dans l'intimité est essentiellement différente. Le retrait, le rituel, le passe-temps, l'activité et les jeux se caractérisent par la peur des autres, la soumission à un code, le besoin de jouer un rôle, la non-implication, la réalisation d'un objectif, la manipulation du partenaire. L'intimité quant à elle est fondée sur la confiance réciproque, l'absence de projet, la reconnaissance de l'autre, et l'acceptation de se montrer tel qu'on est, sans déguisement ni artifices. Ainsi, l'intimité se définit moins par ce qui se passe entre les partenaires, que par l'attitude fondamentale de ceux qui y sont engagés. Ils s'avancent sans masque, ils sont prêts à accueillir l'imprévisible, ils ne veulent pas utiliser l'autre, mais le voient comme un individu à part entière, ni statut social, ni rôle, ni image de projection d'un absent, ni silhouette interchangeable avec des milliers d'autres. Ils ont ouvert toutes grandes les vannes de la communication, ils sont entièrement présents dans l'échange et sont prêts à s'exprimer depuis n'importe lequel de leurs états du moi. En particulier, leur Enfant Naturel se sent libre de dire ses vrais besoins, peurs et désirs.

Il n'est pas nécessaire de se préparer à l'intimité, elle est difficilement prévisible. Il n'est pas utile qu'elle se prolonge pour exister, les moments d'intimité peuvent être aussi fugaces qu'intenses. Échanger un regard où « le courant passe » avec un inconnu au cours d'un spectacle, c'est vivre un instant d'intimité. Rire ensemble à perdre haleine, sans raison, pour « des bêtises ». Faire l'amour, et ensuite parler et écouter l'autre. Se retrouver au-dessus d'un berceau, contempler l'enfant et se regarder et se sourire. Écouter de la musique, dans les bras l'un de l'autre, et échanger de temps en temps des mots sans importance. Se retrouver avec une amie, nostalgiques et attendries, en train d'évoquer des souvenirs d'enfance... C'est vivre l'intimité.

L'intimité est une des formes de structuration du temps les plus gratifiantes. On est reconnu, accepté, rien ne vient parasiter les échanges, on reçoit les caresses dont on a réellement besoin. Quand on a vécu un moment, même bref, d'intimité on a le sentiment qu'on a fait « le plein » de caresses. L'Enfant en nous se sent apaisé, heureux, confiant. Rangés dans notre mémoire, ces moments privilégiés sont sources de caresses renouvelées, quand on les évoque on retrouve le plaisir et la douceur de l'échange.

Pourtant l'intimité est relativement peu vécue. Certains ne la connaissent jamais et ceux qui savent en goûter les joies la vivent en général comme un moment à la fois précieux et rare. C'est que ce mode de structuration du temps où rien n'est prévisible ni codifié, qui repose sur la confiance et l'absence de défense, est souvent perçu comme risqué, voire dangereux. En effet, l'Enfant Libre, la partie la plus vulnérable de la personnalité, y est directement exposé aux atteintes des autres. Cet Enfant a des souvenirs enregistrés d'époques et de moments où on n'a pas su l'entendre, où on ne l'a pas reconnu, où on a nié les besoins qu'il exprimait... Il peut avoir choisi de ne plus se laisser aller à courir de tels risques et avoir décidé de s'exprimer le moins possible. La personne se contentera de caresses destinées à son Enfant Adapté qu'elle sait comment obtenir par d'autres formes de structuration du temps, aux résultats plus prévisibles.

S'engager dans l'intimité, c'est prendre un risque — celui de voir son Enfant heurté — pour être prêt à assumer souvent ce risque il faut avoir une structure psychologique avec un Adulte décontaminé, capable de faire la part des choses, un Parent Nourricier interne actif, prêt à panser les blessures, un Petit Professeur assez astucieux pour évaluer les risques et choisir ses partenaires. Toutes choses qui permettent de vivre le plus souvent possible ces moments d'intimité, la plus accomplie des formes que peuvent prendre les relations humaines.

Réfléchir à la façon dont on structure son temps permet de mieux comprendre comment fonctionne son propre système de stimulations et de signes de reconnaissance. Savoir de quoi est composé son cocktail personnel, quelle est la place accordée dans une journée, dans une semaine, au retrait, au passe-temps, à l'activité, aux jeux et à l'intimité, est un bon moyen de connaître ce qu'on attend des autres et ce qu'on est prêt à leur donner dans nos relations interpersonnelles.

Utilisée dans le cadre d'une organisation, la grille de structuration du temps est un bon outil pour mesurer à quoi est utilisée l'énergie disponible dans un groupe, un service, une association, une entreprise. On croit travailler huit heures par jour dans son bureau. Mais quelle est, dans ces huit heures, la durée réelle consacrée à l'activité par rapport aux autres formes de structuration du temps ? Et surtout, quelle est la quantité d'énergie gaspillée dans des jeux stériles et négatifs ?

Dresser un tel constat n'aboutit pas forcément à la conclusion qu'on doive accroître la part de l'activité. Certes, il est préférable, quand il en existe, de réduire l'intensité des jeux négatifs qui se jouent dans une organisation. Mais une des bonnes façons de le faire consiste à permettre à d'autres formes de structuration du temps d'y trouver leur place. Une structure qui permet réellement à ses membres d'expérimenter le retrait — s'ils le souhaitent — d'échanger des rituels sociaux et professionnels, de vivre des moments de passe-temps, de se consacrer à une activité réelle, aux résultats justement reconnus et appréciés et même de connaître des instants d'intimité, offre en même temps à ses membres assez de stimulations et de signes de reconnaissance pour qu'ils n'aient pas à en chercher dans des jeux trop intenses et destructeurs.

Quand on parle de structuration du temps, il est important de comprendre qu'elle est indépendante des diverses formes d'activité humaine habituellement recensées. L'acte de manger, par exemple, peut être, à juste titre, considéré comme faisant partie de l'activité. Mais cette activité peut, selon les cas, prendre une tout autre tournure. Certains, par choix ou contrainte, considèrent le repas comme ce moment de la journée où ils se coupent de toutes relations avec leurs semblables pour se consacrer exclusivement à ce qu'il y a dans leur assiette. A certaines époques – et dans certains pays – le déroulement d'un repas était fortement ritualisé, un code strict régissant la place des convives à table, l'ordre des plats, les sujets qu'on pouvait y aborder, etc. Ce peut être le moment privilégié, par exemple, dans les restaurants d'entreprise, pour d'agréables passe-temps. Dans les déjeuners d'affaires, l'activité première de se remplir l'estomac est accrue de celle qui consiste à mener une négociation. Des jeux se jouent aussi à table, comme entre des enfants récalcitrants et des parents qui s'obstinent à leur faire vider leur assiette. Enfin, il arrive que certains repas fassent naître des moments d'intimité. On peut donc être en train de manger ou de danser, de faire l'amour ou de discuter, de participer à une réunion... Il ne suffit pas d'identifier son activité pour reconnaître avec certitude dans quelle forme de structuration du temps nous sommes engagés. Pour cela, il faut tenir compte de notre état d'esprit, de nos objectifs, de la quantité et de la qualité de nos échanges.

5

POSITIONS DE VIE ET SCÉNARIOS

Les transactions échangées avec les autres, les signes de reconnaissance donnés et reçus, la façon dont nous structurons notre temps définissent notre personnage privé et social. Déterminent nos relations interpersonnelles. Et, finalement, nous font, au fil des jours, écrire notre propre histoire. Cette histoire peut être passionnante et réussie, ou palpitante et dramatique, ou triste et sinistre, ou encore terne et sans grand intérêt.

Lorsque nous considérons notre histoire personnelle et celle de ceux qui nous entourent, nous voyons se dérouler de véritables scénarios qui semblent obéir à une logique interne. Telle personne vit la plupart du temps dans une atmosphère de drame, où les passions s'entrechoquent, où les crises et les ruptures succèdent aux rencontres fulgurantes et aux amours ardentes. Un autre fait de sa vie un roman passionnant où les épisodes heureux abondent. Un troisième tricote des jours tranquilles et sans histoire, un feuilleton familial. Telle épouse effacée d'un homme public, telle vieille tante célibataire qui « fait partie des meubles » jouent les seconds rôles dans des histoires vécues par d'autres. A partir de points de départ semblables : « Nos héros naissent tous deux dans une famille pauvre mais honnête », l'un va vivre « la merveilleuse ascension de M. X » et l'autre va jouer « les Misérables », etc.

D'où naissent toutes ces histoires que raconte chaque vie humaine ? A quel plan obéissent-elles ? Pourquoi se déroulent-elles comme nous les voyons se dérouler ? Certains répondront, c'est le destin, ou le hasard, ou les circonstances extérieures indépendantes de notre volonté, ou les conditions économiques et sociales dans lesquelles on vit. L'A.T. ajoute, elles sont aussi (et peut-être surtout) le fruit des décisions prises par les enfants que nous avons tous été, alors que nous avions entre cinq et sept ans.

Dans les premières années de sa vie, à l'âge où il sait à peine lire et écrire, où il n'a pas encore eu l'occasion de quitter sa famille pour se mesurer au monde qui l'entoure, où l'Adulte n'est qu'un état embryonnaire de sa personnalité, chaque enfant prend des décisions qui engagent son avenir. Il juge de sa propre valeur et de celle des autres, il constate : « Je suis quelqu'un d'important ici ! » ; ou bien : « Je ne vaux pas grand-chose, je suis la dernière roue du carrosse ! » Il esquisse à grands traits le cadre général de son existence future, ou bien il se fixe un but précis et les étapes pour l'atteindre : « Je peux y aller, la vie vaut la peine d'être vécue et me réserve de grandes choses », « Je peux m'en sortir à condition de travailler dur, de ne pas trop me faire remarquer, d'être modeste », « Un jour je me vengerai, ils verront de quel bois je me chauffe ! »... Il évalue ses chances d'être un « prince » ou de se transformer en « crapaud ». Il structure les dizaines d'années qui s'étendent devant lui. Pour ainsi définir le rôle qui lui est assigné dans « la comédie humaine », l'enfant utilise les messages qu'il reçoit, ou croit recevoir de ceux qui l'entourent. Ce sont surtout ses parents qui, sans le vouloir, lui dictent l'histoire qu'il élabore. A travers les stimulations et les caresses qu'ils lui adressent, les transactions échangées avec lui, les formes de structuration du temps qui ont cours à leur foyer, les jeux psychologiques dans lesquels ils l'entraînent, ils lui disent : « La vie est une belle aventure », « Tu as le droit de vivre et d'être heureux ! », « Une place de choix t'est réservée en ce monde », « Tu es capable de faire beaucoup de choses », « Nous n'exigeons rien de toi en échange de notre amour », « Tu ne risques rien à être proche des autres »... Ou alors : « La vie est une vallée de larmes », « Méfie-toi des autres », « Dans notre famille on n'a jamais eu de chance », « On t'accepte si tu restes à ta place », « Quoi que tu fasses, ce ne sera jamais assez bien pour nous », « Surtout ne demande jamais rien à personne », « Ce monde est dangereux », « Dans la vie, si on ne veut pas être écrasé, il faut écraser les autres », etc.

L'enfant reçoit ainsi, de façon directe ou indirecte, verbale ou non verbale, des prescriptions et injonctions spécifiques, émanant de personnages tout-puissants, qu'il croit parfaitement aptes à le juger. Il en tire des conclusions de survie importantes et extrêmement pertinentes compte tenu du contexte où il évolue, qui engagent son avenir et dicteront, en grande partie, son comportement futur et l'orientation qu'il « choisira » de donner à son existence.

Quand on dresse un tel constat, et quand on y souscrit, on risque d'en conclure que, puisque les jeux sont faits et que tout est décidé d'avance, à quoi bon vouloir lutter contre cette forme de destin ? Il n'y a plus qu'à continuer à suivre cette voie, quelle qu'elle soit, tracée un jour par un enfant de six ans ou moins.

Or, il ne s'agit pas d'accepter ce déterminisme psychologique. L'A.T., en tant que démarche thérapeutique, propose aux personnes qui se sentent coincées dans un scénario étouffant, d'en rechercher les racines. De retrouver les décisions prises par cet enfant et qui concernent sa propre valeur et celle des autres, ses chances de succès dans l'existence, le rôle qu'il est appelé à jouer en ce monde. De reconsidérer les conclusions qu'il en a tirées et de changer celles qu'il souhaite changer. Les grilles d'analyse des transactions, des signes de reconnaissance ou de la structuration du temps sont des instruments extrêmement puissants pour améliorer les relations sociales, faciliter les rapports humains et pour aider les patients à « aller mieux ». Mais s'ils souhaitent

« guérir », alors il faut leur donner la possibilité de retrouver leurs décisions originelles, leur permettre de changer leurs conclusions de survie. Les aider à se délivrer du « sort » qu'ils se sont, un jour, jeté à eux-mêmes.

Les positions de vie

Aimer, travailler, s'amuser, souffrir, c'est être présent au monde, c'est aussi entrer en relation avec les autres et, d'une certaine manière, se mesurer à eux. Notre partenaire dans une relation amoureuse pourra être le complice, l'âme sœur, l'autre soi-même avec qui on partage les joies, les douceurs et la tendresse du moment. On peut aussi le considérer comme un objet d'amour à dominer, à soumettre, à asservir. Ou encore comme celui dont on est prêt à tout accepter, même et peut-être surtout, qu'il nous domine, nous soumettre, fasse de nous sa chose. Ces personnes engagées avec nous dans une relation de travail seront des partenaires à part entière avec qui on coopère à la réalisation d'une tâche. On peut aussi les voir comme de simples exécutants, qui doivent se plier à nos exigences. Ou bien les percevoir comme des juges, des Parents, devant qui on ne sera jamais à la hauteur et qui, eux, savent ce qu'il y a à faire et comment le faire. Le jeu est souvent l'occasion d'un échange agréable Enfant-Enfant, se déroulant dans le rire, la décontraction et le plaisir partagé. Mais certains l'utilisent comme un moyen de se prouver et de prouver aux autres qu'ils sont les plus forts et ils s'y engagent avec la volonté acharnée de gagner. Alors que d'autres sont d'éternels perdants, qui à la suite d'une partie de cartes ou de football constatent : « Une fois de plus j'ai été un piètre joueur », « Je ne sais pas me débrouiller, si mon équipe s'est ridiculisée, c'est à cause de moi ! » On peut réagir à la souffrance en remâchant de sombres pensées, à base de : « Ça n'arrive qu'à moi ! », « Je l'ai bien mérité ! »... On peut aussi la vivre, même intensément, sans éprouver le besoin de s'accuser ou d'accuser les autres.

Ces expériences vécues, d'amour, de travail, de jeu ou de souffrance, sont donc très diversement colorées en fonction du sentiment qu'a chacun de sa propre valeur et de la valeur de ceux qui y sont engagés avec lui. Ce sentiment définit ce que l'A.T. appelle les positions de vie. Le désir d'être en accord avec soi-même, de s'accepter et d'avoir confiance en soi, est un désir réel et profond. Lorsqu'il n'est pas satisfait on se sent mal à l'aise, « mal dans sa peau », irrité, déprimé. De nombreuses demandes thérapeutiques ont pour origine le besoin de remplacer ce malaise par l'acceptation de soi. De nombreuses méthodes psychologiques sont proposées pour répondre à cette demande fondamentale.

L'A.T. met surtout l'accent sur l'interrelation qui existe entre ce sentiment qu'on a de sa propre valeur et celui qu'on a de la valeur d'autrui, du genre humain en général, de ses partenaires sociaux, familiaux, professionnels, en particulier. La combinaison des différentes appréciations que l'on porte sur soi et sur les autres permet de dégager quatre positions de vie de base :

- La position + + : « Je suis quelqu'un de bien et les autres (parents, amis, collègues...) sont des gens bien. »
- La position – + : « Je ne vaux pas grand-chose, les autres valent mieux que moi. »
- La position + – : « Personne ne vaut rien, sauf moi. »
- La position – – : « Nous ne valons pas grand-chose, ni moi ni les autres. »

(Le premier signe désigne la personne qui parle, le second, les autres [1].)

1. Ces symboles mathématiques sont destinés à traduire ce que les Américains condensent dans les formules synthétiques qui n'ont pas leurs équivalents en français : « Je suis OK, vous êtes OK » – « Je ne suis pas OK, vous êtes OK » – « Je suis OK, vous n'êtes pas OK » – « Je ne suis pas OK, vous n'êtes pas OK ».

L'homme, « animal social », confronte constamment sa propre confiance en lui à celle qu'il accorde aux autres et à celle qu'il suppose que les autres lui accordent. En effet, on ne peut pas considérer la position de base d'un individu indépendamment de celle qu'il attribue aux autres. La position + + est essentiellement différente de la position + –, même si, dans les deux cas, celui qui dit « je » affirme : « Je suis quelqu'un de bien ! » Ses sentiments, ses réactions, ses attitudes, ses comportements varieront considérablement suivant l'estime qu'il porte ou non à ses partenaires. Dans un cas, il sera serein, ouvert, détendu, coopératif, et l'échange sera fructueux et agréable. Dans l'autre cas, il sera agressif, méprisant, « sûr de lui et dominateur », très directif ; l'échange sera tendu et risquera de ne pas aboutir, le confortant dans sa position : « Je savais bien qu'on ne pouvait rien faire de bon avec ces gens-là ! »

Ces positions respectives peuvent être contingentes et dépendre de la situation, des personnes qu'on a en face de soi, du domaine où l'on intervient, etc.

Ainsi, Jean-Louis adopte-t-il plutôt la position – + dans son travail. Il exerce la profession d'aide-comptable, il a toujours peur de ne pas être à la hauteur, il refait plusieurs fois ses calculs, il admire et jalouse un peu ses collègues pour qui, lui semble-t-il, tout est plus facile. En présence de son chef, il a toujours peur que celui-ci ne découvre des erreurs dans son travail et ne lui fasse des reproches. Il acquiesce d'ailleurs à tout ce qu'il dit, n'ose jamais le contredire et est convaincu que, puisqu'il est le chef, il ne peut pas se tromper. Mais lorsqu'il est au bistrot avec ses amis pour boire un verre et taper le carton, il retrouve tout son entrain et sa joie de vivre. Il se sent bien avec ceux qu'il considère comme ses pairs. Il est dans la position + +.

De même pour Marguerite qui est l'épouse d'un cadre supérieur brillant et appelé à un avenir encore « supérieur ». Elle ne s'est jamais jugée très jolie, elle ne sait pas s'habiller ni se mettre en valeur, elle n'a pas la repartie prompte. Quand elle accompagne son mari dans des dîners en ville, elle est au supplice. Plus la soirée avance, plus elle s'enfonce dans la mélancolie, moins elle parle, plus elle se juge terne. Elle est dans la position – +, s'estimant « au-dessous de tout », jalousant toutes les jeunes femmes qui l'entourent et qu'elle estime plus belles, plus brillantes, plus appréciées qu'elle-même. Mais, chez elle, dans son foyer, devant ses fourneaux, Marguerite se juge imbattable. Personne ne sait, comme elle, offrir un cadre chaleureux et accueillant à ses enfants, à son mari, à ses invités, personne ne sait aussi bien faire la cuisine, ne connaît d'aussi bonnes recettes, n'est aussi fin cordon-bleu. Aucune de ces belles jeunes femmes parfumées et sûres d'elles qu'elle croise dans ces soirées mondaines ne lui arrive à la cheville dans ce domaine, où elle se sent incontestablement en position + –.

Il est possible de faire, sur un laps de temps donné, le bilan des positions de vie qu'on a eu l'occasion d'expérimenter en fonction du moment, des circonstances, de ses partenaires. Il est même possible de représenter ce schéma sur un graphique, en utilisant le « OK Corral » [1].

OK Corral dessiné par Hélène, professeur de français dans un collège et concernant une semaine de travail :

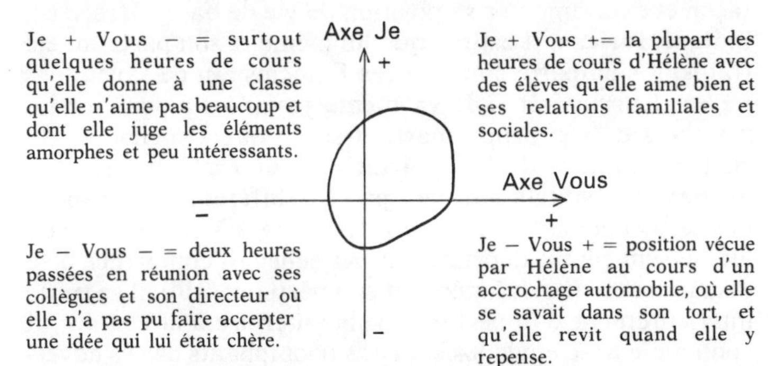

1. Grille mise au point par Franklin H. Ernst, Jr. *Cf.* Franklin H. Ernst, Jr. *Actualités en Analyse Transactionnelle.* Vol. II, N° 6, avril 1978, p. 52 à 60.

Mais, la position existentielle fondamentale d'une personne ne correspond pas exactement à la tendance générale qui se dégage de ses positions relatives. Hélène, par exemple, n'a pas forcément une position de vie de base + +. Celle-ci se définit essentiellement par rapport à la position dans laquelle on se retrouve quand des problèmes et des conflits surgissent.

Un exemple éclairera mon propos. Gérard, Michel et Bruno sont des militants actifs du Parti communiste français. Convaincus de la justesse de leurs thèses, ils considèrent que – sur le plan politique – ils détiennent la vérité (Je + Vous –). Des élections nationales se préparent et tous trois participent activement à la campagne électorale, n'épargnant ni leur temps ni leur énergie, pour que leur parti emporte le maximum de suffrages : ils collent des affiches, distribuent des tracts, organisent des réunions, coopèrent dans une chaleureuse union avec leurs camarades qui partagent leur foi (Je + Vous +). Or, malheureusement pour eux, les résultats ne sont pas à la hauteur de leurs espérances. Leur parti n'obtient que des scores moyens, dans certains endroits, même, inférieurs à ceux de la consultation précédente. Chacun va alors réagir à sa façon et expérimenter sa position de vie de base. Gérard est indigné, furieux, il estime que lui-même et son parti ont été trahis, il s'emporte contre « ces Français qui ne savent pas où est leur intérêt ». Il va même jusqu'à soupçonner les membres de son propre parti et se dit que « si chacun, du chef au militant de base, avait été aussi dévoué que lui-même, les résultats auraient pu être différents ». Il expérimente pleinement la position de vie Je + Vous –. Michel, lui, se sent plutôt déprimé par cet échec, il commence à se demander en quoi lui-même et son parti ont failli, il se traite intérieurement d'imbécile d'avoir pu croire à la victoire, il contemple avec envie les sourires triomphants de ses adversaires, il rêve d'être à leur place, il se dit qu'ils ont été plus malins, plus efficaces que lui. Il est renvoyé à la position Je – Vous +. Quant à Bruno, il est proprement écœuré de ces résultats. Lui et ses camarades ont été des idiots de croire que quelque chose de bien pouvait naître de cette « mascarade ». Lorsqu'il voit ses adversaires politiques étaler leur triomphe, il les traite de sinistres imbéciles. Il considère que dans toute cette affaire ni les électeurs ni les hommes politiques ne se sont montrés à « la hauteur » et il s'en veut à lui-même d'avoir gaspillé son temps pour « ça ». Il est dans la position Je – Vous –.

Enfin, peut-être que parmi les militants et les cadres du parti, certains sont déjà en train de tirer simplement des leçons de l'échec, d'envisager la meilleure façon d'y remédier, sans s'accuser ni accuser les autres. Sans que leur position de vie fondamentale Je + Vous + en soit vraiment ébranlée.

Il y a gros à parier que les positions existentielles auxquelles Gérard, Michel, Bruno et les autres ont été renvoyés dans ces circonstances difficiles, ne soient par réservées au strict domaine politique. Pour chacun, les crises qu'il vit dans sa profession, sa famille, ses relations amoureuses, sont autant de « preuves » de la justesse de sa position existentielle. Pour Gérard, « qu'il n'y a rien de bon à attendre des autres, et qu'il est le seul à avoir quelque valeur ». Pour Michel, « que les autres s'en tirent mieux que lui qui n'est vraiment pas à la hauteur ». Pour Bruno, « qu'il n'y a rien à espérer, ni de lui-même ni de personne ». Et pour certains, que quels que soient les aléas de l'existence, cela n'a pas d'incidences profondes sur l'estime qu'ils se portent à eux-mêmes et sur la valeur qu'ils accordent aux autres.

C'est cette position de vie de base qui est le fruit des expériences faites par un enfant dans les premières années de son existence. Elle découle de l'accueil qui lui est fait dans son foyer, de la place qu'on lui réserve, de l'amour qu'on lui porte, de la quantité et de la qualité des caresses que ses parents lui adressent, de ce qu'il observe et déduit des relations interpersonnelles qui ont cours autour de lui. C'est ce qui lui permet de définir quelle est sa propre valeur et quelle est celle des autres. A travers tout ce qu'il reçoit de son environnement, il trouve des réponses à deux séries de questions essentielles :

« Suis-je digne d'être aimé ? Suis-je quelqu'un de bien ? Ai-je une quelconque importance aux yeux de ceux qui m'entourent ? Est-ce qu'on me reconnaît à ma juste valeur et est-ce qu'on me fait confiance ? »

Et : « Que valent les autres. Puis-je les aimer ? Sont-ils intéressants ? Sont-ils plus importants, comptent-ils plus que moi ? Peuvent-ils me faire du mal ? Puis-je leur faire confiance ? » Répondre à ces questions cruciales aide l'enfant à « choisir » une position de vie qui, d'une certaine manière, est un point de repère lui permettant de structurer ses relations aux autres. Cette position de vie va le guider dans son existence et se rappeler plus particulièrement à lui dans les moments de crise, où il donnera un sens à ce qu'il vit en pensant : « Ah ! Je le savais bien... que je ne valais rien, qu'on ne peut faire confiance à personne », etc.

La position Je + Vous +

Il n'est pas facile de déterminer avec exactitude ce qui conduit un enfant à opter pour l'une ou l'autre position de vie. De trop nombreux éléments interviennent dans ce choix et surtout, c'est la composante intuitive et non rationnelle de l'enfant, son Petit Professeur qui prend cette décision, en fonction d'événements extérieurs qui passent par ce filtre d'interprétations et de déductions personnelles. Cependant, un certain nombre de facteurs prédisposent à l'adoption de l'une ou l'autre position de vie. La conviction d'Eric Berne, le père de l'A.T., est que chaque enfant est au jour de sa naissance dans une position de vie positive. Aucun événement n'est encore venu traumatiser son état du moi Enfant, il est en accord avec le monde où il arrive. Selon une de ses formules imagées, célèbres dans le petit monde de l'A.T., pour lui : « Tous les enfants naissent princes ou princesses, avant que leurs parents ne les transforment en crapauds. »

Tous les analystes transactionnels ne sont pas d'accord avec ce postulat d'E. Berne. En particulier, Th. H. Harris, dans son livre *D'accord avec soi et avec les autres* (Éd. EPI), soutient qu'un nourrisson ne peut qu'expérimenter la position de vie : « Je ne suis pas OK, vous (mes parents) êtes OK. »

Il s'agit là d'un débat qui dépasse le cadre de la psychologie pour rejoindre l'idéologie et la philosophie. Savoir si les hommes naissent naturellement bons et heureux ou s'ils viennent au monde souffrants, subissant la tare de quelque péché originel et ayant à gagner leur place au soleil, est un sujet qui a fait couler beaucoup d'encre. Si on ajoute à cela que la vie intra-utérine et l'accouchement influent sur l'élaboration du psychisme humain, on voit que le problème est complexe.

Affirmer que l'enfant naît OK ou pas me semble découler plus de convictions personnelles que de faits vérifiés. Toute révérence gardée pour les fondateurs de l'A.T., je me demande s'il n'y a pas dans ces affirmations un exemple de contamination de l'Adulte.

Cependant, l'intérêt de la philosophie de Berne vient des conséquences qu'elle induit sur le plan thérapeutique. Celui qui va vers son patient convaincu qu'il est fondamentalement OK a une attitude révolutionnaire. Il ne cherche pas à découvrir sa tare cachée, à l'en sauver ou à l'y renvoyer, mais à lui permettre de retrouver un équilibre originel. Que cet équilibre ait réellement existé ou non n'est finalement pas important en l'occurrence. Ce qui compte, c'est que la relation qui s'établit entre le thérapeute et son patient les met sur un pied de plus grande égalité. Le premier est convaincu de la possibilité de réussir leur démarche commune (et on sait que les attentes du thérapeute en ce domaine sont un élément déterminant dans l'évolution du traitement). Le second est davantage « responsabilité » et confiant. La position de vie + + n'apparaît plus comme devant être conquise chaque jour de haute lutte, avec tous les risques de rechuter dans des positions négatives originelles. La tâche ne semble plus si immense ni si harassante. Elle offre, au contraire, des perspectives exaltantes qui disent qu'une fois les décisions de l'Enfant, quant à sa valeur et à celle des autres, changées, il retrouvera un équilibre de base. Revécue au niveau de l'Enfant, cette nouvelle perception du monde s'installe de façon beaucoup plus durable que lorsqu'elle a dû être reconfirmée chaque jour par l'Adulte. Une des preuves, *a contrario*, de l'éventuelle validité de l'optique de Berne, tient justement au fait que les patients une fois « guéris », ayant vécu (ou revécu ?) le sentiment de plénitude qui accompagne l'acceptation de soi et des autres, assument cette position de vie nouvelle sans effort et avec bonheur.

Cet enfant qui naîtrait en accord avec lui-même et avec le monde n'a aucune raison de quitter, sinon temporairement, cette position de vie de base (ou a toutes les chances d'y accéder). S'il est aimé et accepté par son proche entourage, s'il reçoit et a la possibilité de donner beaucoup de caresses positives, s'il vit dans un milieu ouvert et chaleureux, où le système d'échange de signes de reconnaissance fonctionne bien, où chacun est reconnu à sa juste valeur, alors, aimé et libre d'aimer, il reste un prince et considère les autres comme ses égaux. Il ne se sent pas misérable, ni écrasé, ni ne cherche à écraser les autres. Il peut exprimer ses craintes, ses terreurs, ses angoisses enfantines, il ne sera pas jugé, encore moins rejeté par ses parents. Il se considère comme un membre à part entière de la communauté de ses proches. Si aucune catastrophe prématurée ne vient le couper de sa source de caresses et changer ses sentiments sur lui et sur les autres, il va aller à la rencontre du reste du monde, convaincu de sa propre valeur et de celle des autres. Il poursuit son chemin dans la vie, armé de cet irremplaçable bagage, la confiance en soi et en autrui.

Celui qui a adopté cette position de vie de base se sent le plus souvent bien dans sa peau. Il apprécie l'existence, sait prendre du bon temps et se montre capable d'accomplir efficacement sa tâche. Il considère les autres comme des partenaires avec qui il entretient des relations de coopération plutôt que de compétition. Il voit ses enfants, son conjoint, ses collaborateurs... comme des personnes autonomes, dignes de respect et à qui on peut faire confiance. Il ne se perçoit ni comme leur sauveur, ni comme leur persécuteur, ni comme leur victime. C'est pourquoi il ne se laisse pas facilement entraîner dans des jeux. Il préfère utiliser son temps d'autres manières. Si on lui adresse des reproches et des critiques, il les reçoit comme tels et peut juger de leur véracité, sans les vivre comme une dévalorisation ou une négation de sa personne. Lui-même sait donner des signes de reconnaissance positifs et n'en donne que très rarement d'inconditionnellement négatifs. S'il n'apprécie pas la conduite d'une tierce personne, il lui dira : « Je ne suis pas d'accord avec ce que vous faites »; plutôt que : « Vous n'êtes qu'un sombre crétin! » Bien entendu, ces personnes rencontrent aussi des échecs, des déceptions, des déboires. Elles en souffrent comme les autres. Mais devant de tels événements, elles diront et penseront : « Je suis malheureux! », « Ça ne va pas en ce moment! », « Je me suis trompé »; plutôt que : « Ça n'arrive qu'à moi! », « Je suis le dernier des idiots! », « Je savais que je n'avais aucune chance! » ou « C'est la faute de ces abrutis! »

Les gens qui sont dans cette position de vie ne sont d'ailleurs pas forcément aimés par tous, car ils n'acceptent pas d'adopter le rôle que voudraient leur faire jouer ceux qui ont une position de vie différente, très contraignante. Ils se refusent à accabler de reproches ou à plaindre outre mesure ceux qui affirment : « Je ne vaux pas grand-chose, vous valez mieux que moi! », et qui voudraient les prendre pour modèles, pour juges ou pour consolateurs. Ils ne reconnaissent pas, non plus, la supériorité de ceux qui veulent affirmer leur position dominante.

Les personnes dépressives, malheureuses, qui se sentent accablées par le sort, les regardent de loin, comme des

« martiens » chanceux qu'elles envient vaguement, sans pouvoir vraiment entrer en relation avec eux. Celles qui sont autoritaires, tyranniques, voire despotiques, les fuient et sont mal à l'aise quand elles les rencontrent, car elles n'ont pas de prise sur eux. Aussi et de façon plus ou moins spontanée, ceux qui ont adopté la position de vie + + entretiennents-ils des rapports étroits et suivis avec des partenaires qui, eux aussi, s'acceptent le plus souvent et acceptent généralement les autres. Ils forment avec eux des équipes gagnantes, des groupes sociaux efficaces et actifs, des couples chaleureux et joyeux, des familles heureuses.

Le but d'une intervention en A.T. est d'arriver à vivre le plus souvent possible cette position de vie – qu'on retrouve une position originelle oubliée ou qu'on la construise de toutes pièces.

Le travail pour y arriver est simple à décrire et certes plus difficile à mettre en œuvre. Il s'agit de commencer à se brancher sur son Adulte pour voir plus clair en soi. Reconnaître quel est celui de nos trois états du moi qui ne fonctionne pas bien et dans quel sens il doit évoluer : Comment est-ce que je réagis face aux autres ? Ai-je tendance à chercher la petite bête, à les considérer d'emblée comme des incapables ? Ou bien ai-je l'impression qu'ils vont me juger, ai-je le sentiment obscur et confus qu'ils en savent plus que moi ? Et si je faisais taire mon Parent Critique, pour voir comment ils réagissent ? Si j'acceptais les reproches qu'on m'adresse sans me sentir comme un petit garçpn pris en faute ? Si j'en riais ? Il s'agit aussi d'écouter réellement les autres, de voir d'abord en eux l'être humain qui s'exprime, d'entendre quel est l'état de leur moi qui s'adresse réellement à nous. D'enlever les masques d'image sociale et de figure parentale ou d'Enfant non OK qu'on leur a mis. Il faut également repérer les messages répétitifs que notre Parent interne nous adresse : « Tu n'es qu'un incapable ! », « Tu vas encore te faire avoir ! », « Tu sais bien qu'on ne peux faire confiance à personne ! » et de les faire taire.

Une telle démarche nous conduit à vivre de plus en plus souvent la position + +, à donner et à recevoir de plus en plus de signes de reconnaissance et de meilleure qualité.

La position Je – Vous +

Quand on se sent mal dans sa peau et qu'on a l'impression que les autres se sentent mieux que nous. Quand chaque fois qu'on a un problème ou qu'on essuie un échec on croit que la malchance nous poursuit. Quand, dans les creux de vagues on se dit qu'on ne sera jamais à « la hauteur ». Quand on a souvent le sentiment que les autres vous jugent, vous plaignent ou se moquent de vous. Quand on pense si j'étais aussi riche, aussi beau, aussi intelligent... que lui, tout irait mieux pour moi. Alors, c'est qu'on a adopté la position de vie – +. Celle qui consiste à dire, ou à penser : « Je ne vaux pas grand-chose, n'importe qui vaut mieux que moi. » Comme toutes les autres, cette position prend sa source dans les expériences vécues par le petit enfant au foyer de ses parents. Plusieurs types de relations parents-enfants sont susceptibles d'entraîner cette conclusion qu'on est « une victime, un malheureux, une pauvre petite chose ». Si maman a un Parent Nourricier étouffant, si elle me reconnaît, m'embrasse, s'occupe de moi, quand ça ne va pas pour moi, quand je viens me plaindre, quand je pleure, quand j'ai des ennuis, alors que les succès que je lui rapporte sont accueillis par un vague « C'est bien ! », il y a toutes les chances pour que j'en conclue qu'on m'aime surtout quand je suis malheureux. Que si on veut se faire reconnaître des autres, il faut leur demander de l'aide, apparaître comme une victime à leurs yeux et leur conférer le pouvoir de nous sauver. Cette position de vie ne naît pas seulement d'un tel processus. Elle peut être le fruit d'une enfance où les seuls signes de reconnaissance disponibles étaient des signes conditionnels, plutôt négatifs. Ce n'est jamais assez bien, ce que l'enfant fait n'est jamais pleinement reconnu, il n'est jamais sûr de tout à fait mériter l'amour de ses parents et s'acharne à les satisfaire pour s'entendre dire que « non, il n'est pas vraiment un bon petit garçon », « que papa et maman sont tristes et déçus de voir qu'une fois de plus il n'a pas été sage », etc. Il en conclut : « Je ne suis pas OK. Jamais, je ne serai quelqu'un d'assez bien pour faire vraiment plaisir à ces êtres merveilleux que j'aime tellement et à la cheville de qui je n'arrive pas. » N'ayant jamais été totalement reconnu par ces juges infaillibles que sont ses parents, l'enfant ne peut pas totalement s'accepter, il considère que, fondamentalement, il n'est pas quelqu'un de bien. Devenu grand, il garde, dans son état Enfant, cette conviction et n'accepte pas que d'autres remettent en cause le verdict de ses parents. Au contraire, il leur demande de confirmer ce qui donne un sens à ses relations premières avec eux en lui disant et en lui prouvant encore à quel point ils sont supérieurs à lui. Au besoin, il s'imagine qu'ils le lui disent et le lui prouvent (je suis sûr qu'ils rient de moi ! Ils disent qu'ils m'aiment bien, mais en fait ils ont pitié de moi !) et leur attribue le rôle de Parent, juges et critiques de l'Enfant non OK qui est en lui.

D'autres schémas relationnels précoces sont à l'origine de cette position de vie relativement fréquente. Une situation de compétition, par exemple, où un enfant se trouve sans arrêt comparé à un frère ou une sœur, plus aimable, plus brillant, meilleur élève, etc. Des conflits entre les parents, où l'enfant se trouve impliqué tout en se sentant totalement incapable de les résoudre, et dont il se juge parfois même responsable (« si cela ne va pas entre eux, c'est de ma faute et je ne peux rien faire pour les aider »). Les enfants qui vivent ainsi les premières années de leur existence dans des familles où on leur propose le rôle de victime, d'inférieur, d'incapable, risquent d'en conclure : « Je ne vaux pas grand-chose, les autres valent mieux que moi », pour donner un sens à ce qu'ils vivent. Dans la vie courante, de telles personnes ont avec les autres des relations de dépendance, de soumission, d'infériorité. Leur état du moi le plus souvent activé est l'Enfant Adapté, elles cherchent à créer une relation symbiotique avec leurs partenaires habituels. Elles les entraînent dans des jeux où elles se retrouvent en position de victime, jeux qui se terminent quand on leur a dit une fois de plus qu'elles sont incapables, ou « qu'elles sont bien à plaindre ». Elles ne savent pas reconnaître les signes de reconnaissance inconditionnellement positifs. Elles se nourrissent de caresses conditionnelles et négatives. Elles répugnent à prendre des initiatives et des responsabilités, sinon, dans certains cas, pour mal les assumer et finir par conclure : « Je savais bien que je n'en étais pas capable, vous n'auriez jamais dû me faire confiance ! » Dans les relations d'activité, elles adoptent souvent un comportement passif, attendant que les autres agissent pour elles : « Vous vous débrouillez tellement mieux que moi ! » Elles structurent leur temps de préférence en retrait, au cours duquel elles « lèchent leurs blessures » et ruminent sur leurs malheurs en passe-temps du type « c'est affreux » et en jeux. Elles ont très peur de l'intimité qui permettrait aux autres – et à elles-mêmes ! – de découvrir leur « tare » cachée, celle qui a fait que leurs parents ne les ont jamais totalement acceptées. Dans sa forme extrême, cette position de vie conduit à la dépression et le risque majeur est le suicide : « Je suis tellement peu OK, que je ne mérite même pas de vivre ! » Quand de telles personnes demandent une aide thérapeutique, le travail avec elles consiste à décontaminer leur Adulte, à réactiver leur Parent Nourricier interne et à leur permettre d'examiner les peurs de leur Enfant. A terme, il s'agit de leur faire reconnaître quelle est leur crainte profonde quant à cette fameuse « tare » cachée qui a conduit leurs parents à les prendre en pitié, ou à les juger incapables. Bien entendu, cette « tare » est imaginaire, mais pour l'état du moi Enfant elle a une réalité incontestable, qui l'empoisonne et qui a été créée par le Petit Professeur pour justifier l'attitude des parents : « En fait, mes parents qui savent tout ont raison de me juger comme ils le font, c'est parce que en réalité, je suis « fou » ou « impuissant », « pas une vraie fille ou pas un vrai garçon », etc. L'aveu de cette tare cachée permet de la mettre au jour et de s'en délivrer. Pour arriver à ce résultat, il faut que règne entre le thérapeute, le groupe et le patient un vrai climat de confiance, sinon on risque de seulement s'approcher de « l'aveu » ultime sans qu'il soit exprimé, ce qui ne fait que rendre pour l'Enfant du patient à la fois plus réel et plus actif son « secret honteux ».

La position Je + Vous –

Cette position de vie a un double aspect. Elle conduit soit à persécuter les autres, soit à vouloir à tout prix les sauver. Dans le premier cas, celui qui l'adopte considère que, lui mis à part, personne ne vaut rien. S'il y a problème, difficulté, conflit, la faute en incombe toujours aux autres. Ce sont des « imbéciles », des « incapables », « tout justes bons à exécuter mes ordres ». Ces personnes sont très actives, mais elles estiment que nul ne reconnaît leur vraie valeur et que rien de ce qu'elles font ne reçoit sa juste appréciation. Leur sentiment dominant est un sentiment d'injustice. Elles en veulent au reste du monde. Le « choix » d'une telle position de vie résulte souvent d'une enfance vécue auprès de parents particulièrement durs, sévères, voire brutaux. Dès que l'enfant commence à se débrouiller seul, que ses parents n'ont plus à s'occuper de lui pour le changer, le nourrir, etc., leur seule façon de s'intéresser à lui consiste à lui donner des caresses négatives, à le punir, à réprimer ses jeux, à dresser des interdits sur son chemin, à lui faire des reproches. La sécheresse, la dureté, l'hostilité président aux relations familiales. Pour supporter tout cela, l'enfant se replie sur lui-même. Il enregistre le comportement de ses parents et se dit : « Pour s'en sortir, il faut écraser les autres, un jour je serai plus fort qu'eux, je les écraserai à mon tour. » Il se constitue une personnalité OK aux dépens de celle des autres. Pour donner un sens à ce qu'il vit, il inverse la proposition, et décide c'est moi qui suis un type bien, c'est eux qui ne valent rien et je le prouverai ! Tôt ou tard, il va justifier le manque de confiance et l'hostilité de ses parents en devenant cet être autoritaire, désagréable, voire « méchant », qui ne respecte ni son père, ni sa mère, ni qui que ce soit. Dans ses relations avec les autres, il cherche à donner et à recevoir des caresses négatives, la colère, l'hostilité, les coups qu'il a reçus dans son enfance, qui lui prouvent qu'il existe et qui le confortent dans la position : « Ils n'ont rien compris, ce sont des imbéciles, ils ne me reconnaissent pas à ma juste valeur ! »

L'autre versant de la position je + vous – consiste à considérer les autres comme de pauvres victimes à sauver. La personne qui est dans cette position de vie va vers les autres en voulant à tout prix les aider, les soutenir, les protéger. Elle non plus n'a pas une haute opinion de ses partenaires. Elle estime également qu'au fond ce sont des incapables, mais elle veut faire quelque chose pour eux, elle veut encore croire qu'il y a un espoir de les sortir de leurs problèmes et qu'elle est leur meilleure chance. Et surtout, elle sait bien, elle, ce qui est « bon pour eux ». Bien entendu, elle aussi reproduit un type de relations et de comportements qu'elle a expérimentés dans son enfance. Ceux qui vont vers les gens dans cet état d'esprit ont, en général, eu très tôt (ou se sont donné) des responsabilités. Ce sont des aînés de famille nombreuse qu'on a, tout jeunes, chargés de s'occuper de petits frères et sœurs. Des confidents précoces d'une mère en désarroi qui raconte à son petit garçon ou à sa petite fille ses problèmes sentimentaux et se fait consoler et réconforter par eux. Il leur arrive même d'intervenir avec succès dans des querelles conjugales ; en se plaçant entre les combattants, ils évitent le pire. Bref, pour une raison ou pour une autre, ces enfants ont été reconnus dans la mesure où ils prenaient en charge les autres. Leurs parents mêmes – théoriquement chargés de les protéger et de les réconforter – leur demandaient leur aide, leur montraient leur faiblesse et attendaient d'eux qu'ils les soutiennent. Pour eux, les autres restent d'abord des victimes, des êtres à sauver, leur existence est justifiée quand ils voient leur position de vie originelle confirmée : « Je suis quelqu'un de solide, sur qui on peut compter, vous êtes de pauvres petits sans défense qui avez besoin de moi. »

Mais, ces deux positions de vie je + vous – sont moins différentes qu'il n'y paraît au premier abord. Au niveau individuel, ce qui les rend semblables, c'est que, dans l'un et l'autre cas, l'état du moi qui est activé le plus souvent, celui qui fait face aux situations de crise, c'est le Parent. Dans l'un et l'autre cas, les besoins, les désirs, les craintes de l'Enfant sont méconnus, dévalorisés, voire ignorés. Les uns et les autres perçoivent la vie et leurs partenaires comme injustes (les uns réagissant avec colère, les autres avec résignation) ; de toute façon, on ne reconnaît pas leurs mérites. Bien plus, lorsque les seconds voient repoussés l'aide et le soutien qu'ils proposent si gentiment, ils sont prêts à rejoindre la position des premiers, à penser et à dire : « A part moi, personne ne vaut rien, les gens sont aussi incapables qu'ingrats ! » Au niveau relationnel, on trouve également de grandes similitudes de comportement et d'attitudes entre les personnes qui vivent l'une ou l'autre version de cette position de vie. Toutes deux cherchent à établir des transactions Parent-Enfant avec les autres. Ce Parent est également négatif. Pour l'un, c'est un Parent Critique autoritaire et intraitable, et pour l'autre, un Parent Nourricier étouffant et surprotecteur. Ils entretiennent des relations symbiotiques, où ils s'adressent à l'Enfant de l'autre pour le punir, le prendre en charge, évitant ainsi de reconnaître et d'activer leur propre Enfant. Dans leur mode de structuration du temps entre pour une part importante l'activité, ils se dépensent beaucoup et ont besoin de faire pour être, et surtout de faire pour les autres. Mais, c'est une activité qui dévie facilement vers des jeux où il s'agit de coincer l'autre, de prouver une fois de plus qu'il ne peut rien sans eux, de donner des signes de reconnaissance négatifs et de finir par en recevoir en retour. Ils apprécient aussi les passe-temps qui leur permettent de se plaindre des autres, de leur ingratitude, de leur bêtise, de leur incapacité. La première version de la position + – conduit, dans sa forme extrême, à la paranoïa, le risque majeur est la violence qui peut devenir meurtrière. La seconde version est relativement moins tragique. Intervenant sans arrêt dans la vie des autres, les personnes qui expérimentent cette position de vie ont seulement besoin de trouver des sujets à sauver (et en général elles en trouvent chez les – +). Si elles ont beaucoup d'énergie et qu'elles sont sur un terrain favorable à l'application de leur conception de la vie, elles peuvent même devenir des leaders actifs et opérationnels. Mais, elles ont besoin pour rester dans leur position de « prince » de maintenir les autres dans l'état de « crapauds ». Elles seules savent ce qui est bon pour eux, ce qu'il faut faire et comment il faut le faire. Elles n'acceptent pas de partager le pouvoir et ne font jamais vraiment confiance aux autres. Les problèmes naissent quand les autres refusent de continuer à être sauvés, quand ils se rebellent contre leur interventionnisme, quand ils rejettent leur aide. Alors, elles se drapent dans leur dignité offensée, glissent dans la misanthropie, se plaignent de l'ingratitude du monde et sans chercher à voir en quoi elles-mêmes ont pu se tromper, se replient dans un isolement hautain et amer.

Pour aider ces personnes à faire évoluer leur position de vie, il faut d'abord et surtout les aider à décontaminer leur Adulte de l'influence parentale, à leur faire reconnaître les autres en face d'eux, à leur apprendre à donner des signes de reconnaissance inconditionnellement positifs. Au niveau individuel, il s'agit pour eux de rencontrer leur Enfant Libre, de le laisser s'exprimer, de le faire revivre. Si on y arrive, le résultat est étonnant. Ils découvrent le plaisir de l'échange vrai, ils se débarrassent, avec un soulagement extraordinaire, du fardeau accablant qu'ils s'obstinaient à vouloir assumer seuls, ils se permettent même de s'appuyer sur les autres et de demander de l'aide. J'ai eu, dans un stage que j'animais pendant une semaine, quelqu'un qui persistait à affirmer que personne (à part lui-même) n'était vraiment OK, il avait du mal à reconnaître les autres membres du groupe et à communiquer avec eux. Au cours d'une soirée consacrée à des échanges de signes de reconnaissance positifs, le groupe l'a vu se transformer sous ses yeux. Son Enfant se mettait à revivre, il s'épanouissait sous les caresses directes et sincères qu'il recevait et dont, sans doute, il avait oublié jusqu'à l'existence ; au bout d'un certain temps, il est même parvenu à en donner à son tour aux autres, à reconnaître leur vraie personnalité, à deviner quels étaient leurs besoins puisqu'il leur adressait des caresses spécifiques qui les concernaient directement et qui leur disaient : « C'est bien toi, un individu à part entière qui est là en face de moi, et pas simplement quelqu'un qui doit continuer à me prouver à quel point je vaux mieux que lui. » A la fin de la soirée, il me dit très simplement, avec une réelle émotion : « Ce soir j'ai compris que les hommes sont bons, qu'ils ne sont pas tous des pourris, comme je l'ai cru jusqu'à aujourd'hui. » Il n'avait certes pas résolu comme par magie tous ses problèmes, mais il avait fait un pas important dans la prise de conscience qu'il était possible d'avoir avec les autres une communication authentique, sans les manipuler pour maintenir une position de vie archaïque.

La position Je – Vous –

C'est la position de vie la plus désespérée, la plus tragique. Quand on l'expérimente, on a le sentiment que personne au monde ne vaut rien et que, soi-même, on est moins que rien. On ne cherche ni à coopérer avec les autres, ni à entrer en compétition avec eux, ni à demander de l'aide, ni à imposer la sienne. On baisse les bras, on « laisse tomber », on sombre dans le désespoir, on se coupe de toutes les sources de stimulations et de caresses, on est dans un tunnel, dont on ne voit pas le bout. Dans sa forme extrême, cette position de vie conduit au marasme ; la personne, coupée d'un monde sans espoir, se réfugie dans un univers créé de toutes pièces de fantasmes et de délires. Ou bien elle s'autodétruit par l'alcool ou la drogue à hautes doses. Les relations avec les autres, quand elles existent, sont tragiques. Ceux qui vivent cette position de vie de façon intense entraînent leurs partenaires dans des jeux très durs qui se terminent à la morgue ou à l'asile (qui prouvent par leur fin dramatique que personne ne vaut rien, qu'il n'y a pas d'espoir). Les caresses qu'ils donnent aux autres et qu'ils se donnent à eux-mêmes sont négatives et inconditionnelles. Ils sont incapables de reconnaître et d'apprécier les caresses positives qu'ils reçoivent. Ils les rejettent ou les déforment pour que cela ne vienne pas contredire la position de vie dans laquelle ils se trouvent et qui est leur grille d'interprétation des événements qui leur arrivent. Ils ont des scénarios de perdants, très tôt ils ont décidé : « Je ne vaux rien, personne ne vaut rien ! » Les raisons qui peuvent conduire un petit enfant à une conclusion aussi tragique sur l'existence sont difficiles à cerner, car elles interviennent en général très précocement, à un âge où le Petit Professeur est seul pour essayer de comprendre ce qui se passe, sans que l'Adulte, encore balbutiant, procède à la moindre vérification. Ces enfants ont parfois vécu dans un milieu très hostile, où personne ne pouvait les aider à supporter l'amertume de leur sort. Face à des parents brutaux avec eux et avec les autres, qui ne leur offraient que des caresses négatives, le plus souvent inconditionnelles, ils ne peuvent trouver aucun autre sens à ce qu'ils vivent que dans la conviction que personne, eux-mêmes compris, ne vaut rien. Pour eux la vie est sans espoir, aucun de ceux qui les entourent ne leur prouve le contraire et eux-mêmes sont trop petits pour pouvoir se consoler en se disant qu'ils valent mieux que les autres. D'autres circonstances, en apparence moins tragiques, peuvent entraîner une telle décision. Un foyer très profondément désuni, où les parents vivent dans une querelle perpétuelle et où l'enfant tout petit se sent abandonné, rejeté et impuissant. Mais également, un couple très amoureux, qui considère l'enfant comme une gêne, un fardeau encombrant. Dans les deux cas, celui-ci peut conclure : « Vous ne valez rien, vous qui ne savez pas vous occuper de moi, et je ne vaux rien non plus, moi qui ne suis pas capable de vous aider ou d'attirer votre attention ! » Dans l'un ou l'autre cas, il n'y a pas d'énergie vitale disponible pour autre chose que pour entretenir la relation de haine ou d'amour entre les parents. L'enfant est ignoré.

Des événements traumatisants précoces, un abandon (ou ce qui est interprété comme tel par l'enfant), la disparition d'un ou des deux parents, ou tout autre événement que l'enfant vit de façon dramatique peuvent le conduire à la conclusion que « ni lui ni personne ne valent rien ! ».

Comme les deux précédentes, cette position de vie peut être vécue de façon intense et pendant longtemps, elle est alors l'expression d'une situation pathologique.

Elle peut aussi n'être qu'une position de repli adoptée temporairement quand les choses vont mal pour justifier échecs, déceptions et crises.

Il arrive également que certains passent alternativement de façon aussi intense et profondément ressentie par l'une et l'autre position de vie. En général, ils oscillent constamment entre la position Je + Vous + – « Tout va bien, la vie est belle, tout le monde est gentil, je suis plein d'énergie ! » – à la position Je – Vous – – « Rien ne va plus, je suis désespéré, je suis au fond du gouffre, je ne comprends pas comment j'ai pu être heureux un jour ! » Cette alternance, en apparence inexplicable, est souvent le fruit d'une enfance vécue au foyer de personnes (père, mère, ou les deux) profondément déséquilibrées, où les moments de liesse, de caresses, de bonheur (quand maman se sent bien, quand papa est sobre, quand il y a de l'argent à la maison) succédaient aux périodes sombres de tristesse et de malheur (quand maman a une crise, quand papa a bu, quand il n'y a plus un sou vaillant !). Cela de façon tout à fait brutale et inexplicable pour un jeune enfant encore incapable d'établir des relations de cause à effet et qui intègre ce cycle d'exaltation et de détresse comme une donnée de base de sa façon d'être.

Les scénarios

Très tôt décidées, les positions de vie donnent la couleur, l'atmosphère du plan de vie que met en place l'enfant. A partir de ce ton général, les scénarios vont être fabriqués avec leurs particularités propres, leur développement, leurs rebondissements et leur fin, dans la tête des enfants qui utilisent, pour cette création, des éléments transmis par leurs parents.

Le concept de scénario est central en A.T. [2]. Il a vu le jour

2. Cf. Eric Berne, *Que dites-vous après avoir dit bonjour ?* Ed. Tchou, et Claude Steiner, *Scripts people live.*

dès le début de la réflexion de Berne, mais, contrairement à d'autres grilles d'analyse, il se s'est pas tout de suite présenté comme un tout, parfaitement défini. Les séquences relationnelles recensées sous le nom de jeux sont faciles à observer dans un laps de temps même très court. Les états du moi sont immédiatement repérables et rendent le mécanisme des transactions très clair, etc. Les scénarios quant à eux se déroulent sur un temps très long (parfois toute une vie). Pour retrouver leur origine, il faut remonter assez loin dans l'histoire personnelle des individus. Il est nécessaire d'avoir pu suivre au moins plusieurs centaines de cas pour pouvoir étayer des observations sur le mécanisme de mise en place et d'évolution des scénarios. C'est pourquoi, on ne peut pas encore considérer cette grille d'analyse comme parfaitement achevée et n'offrant que des certitudes. Plus encore que les autres elle continue à se vérifier, à s'affiner et à évoluer, à mesure que les expériences s'accumulent. Ce qui, en l'état actuel de nos connaissances, semble bien acquis, c'est l'existence de décisions de base et leur influence sur le déroulement des scénarios individuels. Ce qui est également assez clairement démontré c'est le mécanisme de mise en place et d'organisation de ces scénarios. Ce qui pose encore question, c'est premièrement de savoir si tout le monde a un scénario et pas seulement ceux qui se trouvent vivre des existences difficiles ou tragiques. La deuxième question, qui en découle, consiste à s'interroger sur la valeur positive éventuelle contenue dans les scénarios. En effet, aussi bien Eric Berne que Claude Steiner et d'autres auteurs ont surtout perçu les scénarios comme des plans de vie extrêmement contraignants, le plus souvent néfastes, et dont il fallait se débarrasser pour vivre une existence libre et autonome. Selon eux les gens qui pouvaient le mieux vivre et s'épanouir étaient ceux qui avaient un scénario extrêmement permissif ou même pas de scénario du tout. Pour ma part, j'inclinerais plutôt à suivre l'opinion de Fanita English qui voit dans la construction d'un plan de vie par l'enfant, une réponse au besoin de structurer son avenir, propre à tout un chacun. Elle considère qu'il y a dans la plupart des scénarios à la fois des freins à un épanouissement de la personne et des forces constructives, qui, si elles sont bien utilisées, permettent à celle-ci d'orienter positivement sa vie.

Pour elle, le besoin de l'enfant d'avoir un scénario vient du besoin humain de structurer le temps, l'espace et les relations qui s'étendent devant lui. Cela lui permet de conceptualiser des frontières à l'intérieur desquelles il est possible de tester son expérience du devenir de la réalité.

A l'âge de cinq ans environ, un enfant prend conscience du fait qu'il a un passé et qu'un avenir s'étend devant lui. En construisant les grandes lignes d'un scénario, il ordonne et organise ce temps qui l'attend. Pour cela il utilise ses espoirs, ses rêves et ses expériences. A partir de cette structure de base, il va pouvoir développer une perspective de son avenir. Un scénario permet de faciliter une impression de choix personnel et autonome par rapport à la confusion et à la désorientation qu'entraîne une vue non organisée de possibilités illimitées [3].

Le problème vient souvent de ce que ces plans de vie construits par l'enfant dans son jeune âge continuent à le guider dans sa vie d'adulte, sans qu'il songe à les remettre en cause. Il ne confronte pas ses décisions de survie, sans doute adaptées au contexte de sa petite enfance, à la réalité du monde où il évolue depuis. Et parfois, ces conclusions le maintiennent sous leur emprise en le guidant dans une évolution à terme néfaste pour lui et les autres.

Pour bâtir l'histoire de son avenir, l'enfant utilise les matériaux mis à sa disposition par son environnement immédiat, c'est-à-dire essentiellement par ses parents. Ceux-ci lui servent à la fois d'exemple et de modèle, de prophètes, de juges et d'informateurs. Les stimulations et les caresses

3. *What shall I do tomorow* de Fanita English in « Transactional Analysis after Eric Berne », Graham Barnes, editor, Harper's College Press.

qu'ils lui adressent, les événements qui leur arrivent et les relations qu'ils ont avec lui sont autant d'éléments qui le conduisent à prendre telle ou telle décision. C'est depuis chacun de leurs trois états du moi que ces messages sont envoyés par les parents à leurs enfants. Une fois que ces parents ne sont plus la source unique de stimulations et de caresses pour l'enfant – même après leur disparition physique – ces messages continuent à être diffusés par le Parent interne pour maintenir le scénario tel qu'il fut décidé.

Ce schéma illustre la façon dont se forme le scénario, il constitue la matrice de scénario :

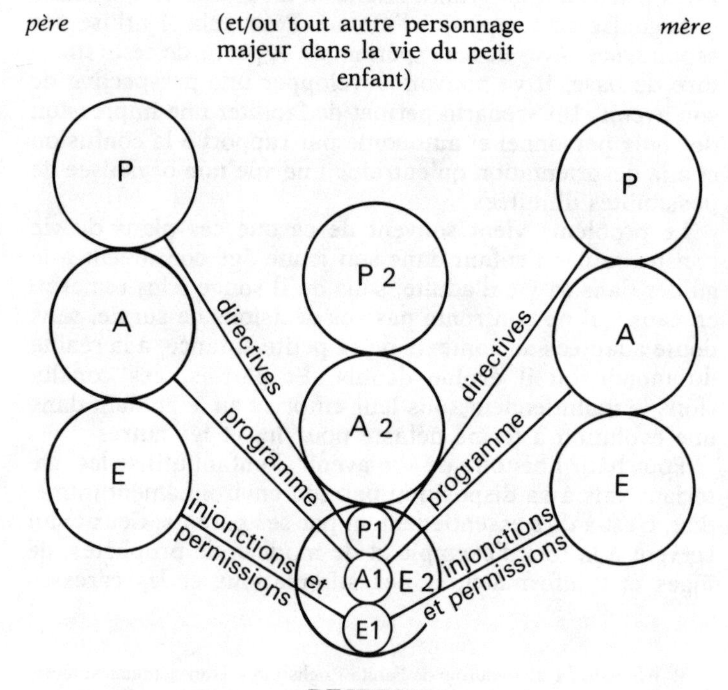

Les décisions de scénario sont prises dans l'état du moi Enfant.

Les messages qui sont à la racine des scénarios sont envoyés depuis l'Enfant des parents vers E.1 dans l'enfant. Ces messages reflètent les sentiments profonds des parents à l'égard de leur petit. Lorsque ces parents ont eux-mêmes un état du moi Enfant où les sentiments négatifs dominent, un Enfant malheureux, apeuré, angoissé, empêtré dans de vieilles décisions de survie... ils risquent de communiquer ces sentiments à leur enfant. En effet, ce sont dans les toutes premières relations entre le père, la mère et leur petit, que ces messages sont transmis. Un certain nombre de facteurs contribuent à leur donner leur puissance et leur impact sur l'enfant :

— Ils sont non verbaux ou envoyés à un âge où l'enfant ne comprend pas encore ce qu'on lui dit : ils passent au travers des gestes, des contacts, du ton de voix, des réactions « spontanées » des parents envers leurs enfants. N'étant pas contrôlés par le filtre de la parole, ces messages passent directement de l'Enfant du parent à E.1 dans l'enfant. Ils ne sont pas censurés.

— Ils s'adressent à la partie la plus vulnérable de celui-ci, son état du moi archaïque, E.1, qui reçoit ces messages sans pouvoir ni les interpréter — son Adulte n'est pas encore formé — ni s'en protéger : son Parent interne est encore embryonnaire. Il les reçoit de plein fouet. Le bébé dans les bras de sa mère, ouvert à ce qui vient d'elle, sans défense, peut recevoir une violente décharge négative, s'il la perçoit comme hostile envers lui.

— Ils proviennent de personnages tout-puissants, le père et la mère, qui ont droit de vie et de mort sur l'enfant (c'est en tout cas ainsi qu'il le perçoit), dont il dépend totalement, véritables bonnes fées, ou ogres, ou sorcières penchées sur son berceau.

— Il n'a pas d'autre choix que de vivre avec eux et de rester soumis à ce qu'ils lui envoient.

Les permissions et injonctions

Ces messages essentiels que diffusent ainsi les parents à leurs enfants sont constitués de diverses permissions et injonctions.

Si l'Enfant des parents est lui-même heureux, épanoui, plein de sentiments positifs prêts à être exprimés envers le nouveau-né, il va transmettre beaucoup de permissions au petit être avec qui il entre en relation.

S'il est perturbé, malheureux, dans une position de vie négative, il va lui diffuser des injonctions néfastes.

La première des permissions, la plus importante, que donnent ainsi les parents à leurs enfants est celle de vivre. L'injonction négative correspondante est : « N'existe pas ! »

Il est difficile de décrire les conditions objectives qui amènent des parents à accepter ou à refuser l'existence de leur enfant. L'enfant officiellement « voulu » par ses parents n'a pas forcément toutes les chances d'avoir comme permission de base un droit à l'existence. Et l'enfant « accident » pas plus de risques de recevoir une injonction négative : « N'existe pas ! » Dans le triple moi des parents, il peut y avoir un P. et un A., désireux d'avoir un enfant parce que « c'est l'aboutissement du mariage ! », « qu'il faut maintenir le nom ! », « que c'est le moment pour Dominique d'avoir un petit frère », etc. Alors que E. supporte mal cette intrusion d'un nouveau-né.

Mme X a eu un premier fils deux ans après son mariage avec M. X, conséquence normale de ce mariage. Elle est félicitée par sa famille, elle sourit sur son lit d'accouchée, elle écoute les commentaires de ses visiteurs avec un visage aimable. Mais au tréfonds de son Enfant, elle refuse et le mariage et le bébé. Elle sait bien, elle, comme cela a été horrible. Elle se souvient des affres de sa grossesse difficile. Elle revoit les étapes de ce long accouchement douloureux. Elle se sent coincée, perdue, affolée. Elle n'a rien à donner à cet enfant qui s'impose à elle. Elle aurait souhaité qu'il ne naisse pas.

Mlle Y mène une vie libre et active, elle a beaucoup d'amis et d'amies, elle est pleinement satisfaite de son sort, jusqu'au jour où, catastrophe, elle se retrouve enceinte. Elle est effondrée, elle songe à se débarrasser de cette vie qui se développe en elle. Mais elle décide finalement de laisser naître cet enfant et petit à petit elle s'aperçoit qu'elle l'accepte avec plaisir. Elle est émue des mouvements qu'elle perçoit en elle, elle voit son ventre s'arrondir avec bonheur, les sentiments qu'éprouve son Enfant au fur et à mesure que cette expérience se développe sont de plus en plus positifs. Lorsque le bébé naît, sa mère l'a totalement accepté. En même temps qu'elle le contemple avec amour, le caresse, rit de bonheur quand elle s'en occupe, le nourrit tranquillement en prenant tout son temps, elle lui transmet la permission de vivre et d'occuper la place qui lui revient en ce monde.

Nous l'avons vu, la permission ou l'interdiction d'exister donnée au bébé dépend surtout des sentiments de l'Enfant des parents. Les exemples cités ci-dessus sont poussés à l'extrême pour les besoins de la démonstration. Souvent ces sentiments sont ambivalents. La joie réelle d'avoir un enfant se mêle intimement au désir de le rejeter. De plus, l'enfant dispose de deux parents et parfois d'autres personnes ont assez d'importance dans sa vie pour pouvoir lui transmettre permissions et injonctions. Une bonne grand-mère ou un bon grand-père peuvent annuler les injonctions parentales par une permission adéquate donnée au bon moment, comme les bonnes fées peuvent exorciser les héros des mauvais sorts jetés par les sorcières.

Il est donc difficile de décrire avec précision la juste dose de caresses et de permissions positives nécessaires pour contrebalancer efficacement les messages négatifs et les injonctions qui atteignent l'enfant.

Certains ont fait des calculs savants, ils considèrent, par exemple, qu'une signe de reconnaissance positif inconditionnel a une valeur + 100, tandis qu'un signe de reconnaissance négatif inconditionnel vaut – 200, ou d'autres évaluations plus ou moins bien chiffrées. En fait, cela revient à dire que les messages négatifs envoyés par les parents sont plus intensément reçus par leurs enfants que ne le sont les messages positifs. Donc, pour prendre la permission de vivre et de s'épanouir, les enfants doivent beaucoup plus souvent percevoir l'acceptation de leur existence par leurs parents que ressentir qu'ils les rejettent. Ou alors ils ont besoin de recevoir cette permission du parent (ou de la figure parentale) qu'ils considèrent comme la plus importante pour eux (en général le père pour la fille et la mère pour le garçon, bien que cela ne soit pas une donnée absolue).

Une injonction négative donnée parmi plusieurs permissions n'entraîne pas forcément une décision de scénario néfaste ; c'est la répétition et l'intensité de ces injonctions qui en font la puissance, qui les transforment en sentences sans appel pour l'Enfant.

Ces injonctions sont transmises essentiellement de façon non verbale. Rares sont les parents qui disent directement à leur enfant : « Je voudrais que tu sois mort ou que tu n'aies jamais existé ». L'hostilité, l'impuissance, le désarroi de leur propre Enfant s'expriment dans leur façon d'être avec leur petit. Ils se reflètent dans des manipulations brutales, dans de l'indifférence à l'égard de ses besoins, dans des contacts avec lui limités aux seules exigences des soins de base à apporter à un enfant et qui se réduisent au fur et à mesure que l'enfant grandit. Une mère est excédée par les hurlements de son fils. Elle finit par s'exclamer : « Bon, il faut que je m'en occupe ! » (message interne parental auquel elle obéit depuis son Enfant Adapté). Elle l'extrait de son berceau, entreprend de le changer avec des gestes brusques, écœurée par cette tâche. Pendant ce temps le biberon chauffe, elle va le chercher, est en colère parce qu'il est brûlant, attend quelques instants qu'il refroidisse, tandis que bébé continue à hurler. De plus en plus énervée, elle prend l'enfant et commence à le nourrir, le lait est encore trop chaud, bébé crie dès la première gorgée. Elle secoue l'enfant et le biberon pour calmer l'un et refroidir l'autre, jusqu'à ce qu'enfin elle puisse le nourrir pendant qu'elle regarde la télé ou discute avec une amie. Absolument indifférente à son bébé, vivant ce moment comme un instant de répit plutôt que comme une occasion d'échange avec son petit. Enfin, il a fini, elle lui tapote sèchement dans le dos pour qu'il fasse son rot et va le remettre dans son berceau en faisant des vœux pour qu'il ne se manifeste pas trop tôt par des pleurs et des cris et qu'il « la laisse tranquille un instant ».

Pendant toute cette séquence, la maman a fonctionné depuis son Enfant Adapté, non OK, accompagné d'un Adulte très discret. A aucun moment elle n'a activé son Parent Nourricier, état du moi pourtant tout désigné pour une telle tâche et encore moins son Enfant Libre qui aurait pu prendre plaisir à cet échange. Les sentiments négatifs de son Enfant Adapté étaient trop envahissants pour qu'elle puisse les contrôler et le message qu'elle a transmis à son fils pendant presque tout le temps qu'a duré leur relation directe était : « Je voudrais qu'en ce moment tu n'existes pas, que tu te fasses oublier, que tu ne m'empêches pas de vivre ! » Si ces séquences se renouvellent quatre ou cinq fois par jour, ce message n'en sera que renforcé à chaque échange.

La permission ou l'interdiction de vivre sont les messages de base qui décident de l'orientation du scénario. Il en est d'autres. Les parents donnent aussi à leurs enfants la permission de sentir et d'exprimer leurs sentiments, de penser, de grandir, de réussir, d'être de leur sexe, d'être proches des autres, etc., ou bien ils leur transmettent des injonctions qui, en substance, leur disent : « Ne sens pas et n'exprime pas tes sentiments ! », « Ne pense pas ! », « Ne grandis pas ! », « Ne réussis pas ! », « Ne sois pas du sexe que tu es ! », « Ne sois pas proche des autres ! » etc. Le mode de diffusion de ces messages est le même que pour « N'existe pas ! ». Seulement, ils ne sont pas toujours aussi précoces, ils s'accompagnent plus souvent de verbalisations et ils peuvent prendre différentes formes qui ne sont pas forcément reconnues comme négatives.

Par exemple, une mère qui a l'habitude d'embrasser son enfant en l'étouffant littéralement sous les baisers transmet à celui-ci un double message, un message social venant de son Parent – « J'embrasse mon fils parce que je l'aime ! » – et un message caché émanant de son Enfant – « Je l'écrase, je ne veux pas qu'il grandisse, qu'il se développe, qu'il m'échappe » ; or, l'enfant est particulièrement sensible à ce type de messages. Le sens social du baiser, il ne le connaît pas encore, mais il vit l'étouffement, l'engloutissement dans la mère. Il entend : « Ne grandis pas ! » Il constate, par exemple : « Je suis caressé, protégé, mais je suis en même temps petit et écrasé. » Il peut à partir de cela construire une partie de son scénario. Suivant la façon dont il vit cette caresse, ses conclusions pourront être : « Évitons d'être trop proche, nous ne risquerons pas d'être écrasé ! », ou bien « Faisons-nous tout petit pour être aimé ».

De même, si devant l'exubérance, la spontanéité de sa fille, qui lui saute au cou, veut l'embrasser, un père se raidit, se sent gêné, dénoue les petits bras et repose l'enfant à terre avec un « Allons, allons, va jouer plus loin ! », la petite fille perçoit le malaise de l'Enfant de son père et risque d'en conclure : « Il est dangereux d'exprimer ses sentiments » (au moins avec les hommes).

La permission de penser aide l'enfant à s'exprimer, à développer son Adulte, à devenir autonome et à assumer ce qui lui arrive. L'injonction « Ne pense pas ! » est envoyée par des parents qui ont peur de ce que leur enfant pourrait découvrir sur eux et sur lui-même. Ils dévalorisent ses premières idées, ses premières démarches autonomes. Quand leur enfant commence à explorer son corps et le monde qui l'entoure, ils s'ingénient à l'en empêcher, à détourner son attention de ce qu'il découvre, à le surprotéger. Leur propre Enfant est plein de craintes quant à ses capacités à assumer ce qui leur arrive. Ils ne veulent pas être confrontés à ces craintes par l'intermédiaire des questions que leur poserait leur enfant. Ils ne veulent pas voir remettre en cause la vision du monde qu'eux-mêmes ont eu tant de mal à élaborer pour expliquer leur propre destin. Si l'enfant dit « Pourquoi papa est fâché ? », ils répondent « Mais non, papa n'est pas fâché du tout ! », avec une crainte mêlée de colère. Ce faisant ils dévalorisent l'intuition de l'enfant, le font douter de ses propres observations, et l'effrayent quant à la puissance potentielle contenue dans ses remarques (qui peuvent tellement gêner maman et papa).

S'il demande : « Pourquoi la dame a un gros ventre ?... il a également droit à un « Chut » ou à un « Mais non » terrorisé de sa mère, etc.

Les parents présument que le fruit de leur union est encore moins capable qu'eux de faire face à la réalité. Ils doutent d'eux-mêmes et de leur enfant. Celui-ci risque de conclure : « Je suis incapable de penser, il est dangereux de le faire ! » C'est une bonne base pour la passivité, la dépendance vis-à-vis des autres, et même pour la maladie mentale (« Si je suis reconnu malade on pensera pour moi »).

Toutes les réactions provenant de l'Enfant Adapté non OK du parent sont susceptibles d'être des injonctions que l'enfant interprète comme des messages lui indiquant le sort qui lui est réservé. Les permissions proviennent de la partie positive de l'Enfant Libre et du Parent Nourricier positif.

Ces permissions et injonctions, avec les différentes positions de vie, forment le scénario originel. L'enfant a reconnu sa valeur par rapport à celle des autres, il a apprécié le poids de permissions et d'interdictions que lui ont délivrées ses parents. Vers cinq ans, il va commencer à organiser son avenir sur ces bases, mais en utilisant également quantité de messages que continuent à diffuser pour lui ses parents et toutes les personnes qui ont une quelconque importance à ses yeux.

L'enfant n'est pas qu'une pâte malléable prête à se plier aux injonctions de ses parents. Il ne va pas obéir tout de suite à ces messages : « N'existe pas ! », « Ne pense pas ! », « Ne grandis pas ! » etc. Il fait au contraire des tentatives désespérées pour y échapper. Pour cela, il utilise les messages sociaux, verbalisés, que lui envoient ses parents. Il recueille des bribes d'informations pour bâtir le canevas de son existence. Plus ses injonctions de base sont contraignantes, plus il quêtera d'éléments pour pouvoir construire un schéma, aussi compliqué soit-il, qui organise son existence. Si l'enfant a de nombreuses permissions : de vivre, d'être proche, de réussir, il dispose d'une grande liberté et peut choisir, parmi les messages que lui transmettent ses parents, ceux qui lui conviennent, pour définir un plan de vie gagnant. S'il a une ou plusieurs injonctions très contraignantes, il doit puiser, dans les directives verbalisées qu'il reçoit, celles qui répondent à ces injonctions, soit pour tenter de leur échapper (tentative souvent vaine au demeurant), soit pour les faire se réaliser.

C'est le Petit Professeur qui prend les décisions qui aident à la survie de l'enfant, même s'il a eu des injonctions négatives. Par exemple, Bernard a reçu l'injonction la plus terrible qui soit : « N'existe pas ! », son Petit Professeur observe ce qu'il pourrait faire pour quand même exister. Il voit que le seul moment où maman l'accepte, c'est lorsqu'il est très silencieux, qu'il se fait oublier. Il a un exemple pour confirmer cela, c'est papa, qui est un homme très discret, presque invisible dans la maison ; maman, elle, est acariâtre, elle crie tout le temps, elle trouve toujours quelque chose à redire, mais Bernard a eu la joie deux ou trois fois quand il a été très sage d'entendre maman lui dire : « Voilà, c'est comme ça que je t'aime, quand tu ne fais pas de bruit ! » Sa conclusion de survie est : « Quand on est très silencieux, on se fait oublier, on a une chance de continuer à vivre. On échappe au « N'existe pas ! » en vivant au ralenti, sans gêner personne. » Sa décision sur l'orientation de son avenir dépendra de ces deux éléments : le non verbal « N'existe pas ! » et le verbalisable « Je t'aime quand tu ne fais pas de bruit ! ». Il décide, par exemple : « Quand je serai grand, je serai comme papa, discret et effacé, je ne demanderai rien pour moi, je me ferai oublier dans un job médiocre, je n'embêterai personne avec mes histoires et peut-être qu'on me laissera tranquille ! » C'est là ce à quoi il estime avoir droit, c'est le plan qu'il va suivre, définissant ainsi son contre-scénario, « contre » parce que, d'une certaine manière, il s'oppose au scénario originel qui le voue à la disparition. Mais ce scénario-là n'est pas effacé pour autant. Il est tapi dans l'ombre et prêt à faire tourner le roman gris au drame. Cela se produit si Bernard voit surgir dans sa vie un événement qui lui fait « rompre » ce « contrat » passé avec lui-même. Un drame dans sa famille, une maladie, un accident grave dont il est victime, ou même un changement positif, une promotion, un héritage... par lesquels, brusquement, il se fait remarquer, risquent de ramener le scénario de base au premier plan. Il est en contradiction avec ses conclusions de survie. Il est renvoyé à son injonction de scénario « N'existe pas ! ». Il va y répondre, soit par un suicide, soit par une autre forme d'autodestruction accélérée, alcoolisme, drogue ou « accident » mortel.

Autre exemple : un enfant qui a une forte injonction « Ne réussis pas ! » va vouloir à tout prix être parfait, justement pour prouver qu'il va réussir ou bien alors va s'acharner dans des entreprises jamais terminées pour confirmer le message de base. Mais dans les deux cas, il répond à l'injonction parentale inscrite dans son Enfant. Dans le premier cas, il cherchera, quoi qu'il fasse, à atteindre la perfection et il n'y arrivera pas. Un travail ne sera jamais assez soigné, sa tenue jamais suffisamment impeccable, il ne sera jamais aussi bon et généreux ou ordonné qu'il voudrait l'être. Dans le second cas, il ne réussira rien car il n'entreprendra rien. Veut-il faire une carrière ? il accumulera les diplômes, les études, les heures de cours, sans oser vraiment s'y lancer. S'il le fait enfin, ce ne sera pas le poste qu'il souhaitait, il lui faut encore se former, il a de nombreux échelons à gravir avant d'atteindre celui qu'il visait et qu'il n'obtiendra jamais. Désire-t-il nouer une relation durable avec quelqu'un ? il ne sera jamais prêt, il est d'abord trop jeune, puis elle est trop ceci ou trop cela. S'il rencontre enfin celle qui répond à ses attentes, il va vouloir prendre toutes ses précautions. Peut-être faut-il d'abord qu'il ait une situation, ou qu'il s'éloigne d'elle pour voir si leur amour résiste à la séparation, ou qu'il ne la touche pas pendant des mois pour vérifier qu'il ne s'agit pas d'une simple attirance sexuelle, etc., jusqu' ce qu'elle se lasse ou si elle a des messages semblables aux siens qu'ils vivent ainsi des « fiançailles » éternelles...

Ces histoires compliquées, malheureuses, vouées à l'échec, que vivent ceux qui ont des scénarios rigides, s'inscrivent dans des plans tout aussi « boiteux » qu'ont tracés de jeunes enfants pour tenter d'organiser quand même leur avenir à partir d'injonctions de base très contraignantes.

Pour construire leur scénario, quel qu'il soit, les enfants ont à leur disposition un certain nombre de matériaux : leur nom, leur prénom, leur surnom, ce que leur disent leurs parents quand ils s'adressent à eux, ce qu'ils disent entre eux, les personnes auxquelles on les compare, les personnes de leur entourage auxquelles ils s'identifient, qu'ils prennent pour exemple, les héros des contes et des histoires qu'ils lisent ou qu'on leur raconte, etc.

Regardons d'un peu plus près ces différents éléments qui complètent le scénario à partir des injonctions (ou des permissions) de base.

Ce que disent les parents à leurs enfants : les directives de scénario

Constamment, depuis leur Parent Normatif ou Nourricier, les parents adressent des messages à leurs enfants. Comme nous l'avons vu ces messages viennent s'enregistrer dans le Parent de l'Enfant, constituant des réserves de « bandes magnétiques » prêtes à être rediffusées, soit à l'intention de la personne même qui les a reçues, dans un discours interne, soit à l'égard d'autres personnes, quand elle adopte envers eux un comportement parental. Mais ces messages sont destinés à son état Enfant, qui y réagit en Enfant Adapté, dans le moment où ils lui parviennent, et par la suite lorsqu'il les réentend dans un dialogue intérieur. Que disent-ils ? Eh bien, tout ce qu'on a coutume d'entendre dans la bouche des parents, lorsqu'ils s'adressent à leurs enfants « pour leur bien ! », pour les réprimander, les conseiller, leur transmettre leur philosophie de l'existence. Ils sont très divers dans leur forme : « Travaille bien »!, « Sois le premier », « Ne réponds pas aux gens insolemment ! », « Tiens-toi tranquille ! », « Écoute ce qu'on te dit ! », « Un garçon ne pleurniche pas ! », « Ne crie pas tant, on se fait mieux comprendre par la douceur ! », « Tourne ta langue sept fois dans ta bouche avant de parler ! », « Tu es vraiment doué pour la technique ! », « Je sais que je peux compter sur toi ! », « Tu es très raisonnable pour ton âge ! », etc. Ces messages sont extrêmement variés, on a cependant pu constater qu'ils se regroupaient en cinq catégories qui ont leurs caractéristiques spécifiques :

1. « *Sois parfait !* » (Je veux que tu sois le meilleur partout ! Rejoue encore ce morceau, ce n'est pas assez bien ! Ce dessin n'est pas mal, mais regarde les oreilles du lapin sont trop petites ! 15 sur 20, c'est quelque chose, mais la prochaine fois j'attends un 20 ! Je t'avais dit de ranger ce

bureau, il y a encore une feuille qui traîne dessus ! etc.) Les gens qui sont soumis à de telles directives sont des perfectionnistes très exigeants, pour les autres et surtout pour eux-mêmes. Rien n'est jamais assez bien, qu'ils fassent du bricolage, qu'ils préparent un plat, qu'ils écrivent, qu'ils s'engagent dans le mariage, ils soignent jusqu'au moindre détail de leur entreprise, ils lisent tous les livres sur le sujet, ils ont les meilleurs outils, la meilleure organisation, la plus grande attention, ils pensent à tout, et le résultat ne les satisfait jamais pleinement.

2. « *Sois fort !* » (Ne pleure pas ! Montre-toi à la hauteur ! Je sais que tu ne flancheras pas ! Bravo, tu es très courageux ! On peut compter sur toi ! Tu es notre grand garçon [notre grande fille] tu ne vas pas te conduire comme un bébé ! Sois indépendant, etc.) Celui qui est sous l'emprise d'un « Sois fort ! » a choisi de ne pas montrer ses sentiments, il donne l'impression de parfaitement les maîtriser. Lorsqu'une situation risque de l'émouvoir, seul un frémissement musculaire, une crispation de la mâchoire témoignent de son tumulte intérieur. Il sourit face à l'adversité (quitte à rire jaune). Il ne sait pas se laisser aller. Tout va toujours bien pour lui, en tout cas, si ça va mal, nul n'a besoin de le savoir et il méprise ceux qui témoignent d'une quelconque faiblesse.

3. « *Presse-toi !* » (Ne traîne pas ! Tu vas être en retard ! Secoue-toi ! Il ne faut pas une heure pour faire ce travail ! Tu as une minute pour faire ce que je te demande ! Cesse de rêvasser ! Le temps c'est de l'argent ! etc.) Sous la contrainte d'un « Presse-toi ! », on est amené à vivre dans un perpétuel maelström, on est toujours en retard, le sentiment le plus fréquemment éprouvé est l'impatience. On ne tient pas en place. Lorsqu'on assiste à une conférence, à un discours, à un cours, on s'agite sur sa chaise, on bout d'impatience. Appelé à prendre la parole, on exécute en deux phrases ce qu'on avait à dire. Les livres sont commencés par la fin, les

heures, les journées, les semaines, les années, la vie semblent toujours trop courtes, on n'a jamais le temps de rien faire...

4. « *Acharne-toi!* » (Essaie encore, tu vas y arriver! Tu n'as pas assez révisé tes leçons, tu ne peux pas encore aller t'amuser! Réfléchis bien avant d'agir! Tu peux mieux faire! Les choses ne sont pas si simples dans la vie! Si tu veux réussir à l'école, il va falloir que tu fasses beaucoup d'efforts! etc.) Les individus qui sont menés par un « Acharne-toi! » sont des gens qui n'ont jamais terminé, qui ne sont jamais tout à fait prêts, s'ils doivent recevoir des invités, ils s'y préparent deux jours à l'avance, font la liste de ce dont ils ont besoin, concoctent en pensée des recettes extraordinaires, sont aux cent coups dès le matin, s'imposent des obligations diverses le même jour, cinq minutes avant l'arrivée de leurs invités ils sont encore à mettre la dernière main au souper, à se rappeler qu'ils ont oublié ceci et cela, ils retardent le moment de passer à table, et lorsqu'ils y sont ils se désolent parce que tout leur semble aller de travers. Malgré tous leurs efforts, ils n'ont pas pu avoir ce qu'ils voulaient. Ils transforment ce qui devait être un moment plaisant et détendu en deux heures de tension et d'angoisse. Lorsqu'ils discutent avec quelqu'un qui leur demande une information quelconque, ils font répéter la question deux ou trois fois, ils ne sont jamais sûrs d'avoir tout à fait compris, etc.

5. « *Fais plaisir!* » (Fais plaisir à maman! Essaie de me comprendre! Ne fais pas de peine à ta petite sœur! Tu es une bonne petite fille, tu comprends que maman a beaucoup de travail! Ce n'est pas parce que tu es en colère qu'il faut ennuyer tout le monde! Ne fais pas de bruit, papa est rentré très fatigué du bureau! Lorsque tu ne m'écoutes pas tu me fais tellement de peine! etc.) Un « Fais plaisir! » conduit à un oubli de ses propres besoins au profit de ceux des autres. La personne qui a une telle directive est branchée

sur ses partenaires pour essayer de deviner ce qu'ils veulent. Elle a toujours peur de faire de la peine. Elle fait attention à tout ce qu'elle dit. Elle est très dévouée aux autres. Elle n'ose pas se plaindre, demander ce qu'il lui faut, elle a peur de gêner, d'ennuyer. Elle cherche à plaire et à faire ce qu'elle imagine que les autres attendent d'elle.

Ce que se disent les parents entre eux: le florilège familial

D'autres matériaux pour la construction du scénario proviennent des maximes, paroles, commentaires, qui ponctuent la vie familiale, lui imprimant son style. Chaque famille a son propre florilège de « vérités premières » et de réflexions sur ses origines qui aident l'enfant à se repérer et à structurer son avenir. C'est les « On n'est jamais si bien servi que par soi-même » (qui renforcent un « Sois fort ! » et aident à décider : « Dans la vie je me débrouillerai tout seul »), les « Pourvu que ça dure ! » et « C'est trop beau pour durer ! » (qui vont avec un « Acharne-toi ! » et qui amènent à conclure : « Je pourrais être heureux, mais seulement temporairement »), c'est les « Pour vivre heureux, vivons cachés ! », les « Chez nous on ne demande rien à personne et personne ne nous doit rien ! », les « Chez les Dubois, on a toujours su tenir son rang ! », les « Dans ta famille (la mère au père) il n'y a que des escrocs et des fous ! », « Mais (le père à la mère) au moins on sait s'amuser, tandis que chez vous... tous des petits-bourgeois rassis ! » (l'enfant a trois options: devenir fou ou escroc ou, s'il veut y échapper, petit-bourgeois rassis) etc. Tous ces commentaires sur la vie, sur l'histoire familiale scandent les événements petits et grands qui se déroulent au foyer et sont pour l'enfant autant d'indications sur les voies qui lui sont offertes pour l'organisation de son scénario.

Les noms, prénoms et surnoms : le titre du scénario

Il arrive que les noms, les prénoms et les surnoms donnés à l'enfant fonctionnent comme des indicateurs sur ce que lui réserve l'avenir. Toujours dans sa tentative de donner un sens à ses injonctions de base, il peut voir dans les mots qui le désignent une information sur ce qu'il peut devenir. Un peu à la manière des petits nains de Blanche-Neige dont les noms définissent le caractère et le comportement. Des exemples de noms « scénariques » peuvent être trouvés dans la rubrique du *Canard enchaîné* « Comme son nom l'indique » : y abondent les « Boudin » charcutiers, les « Villette » bouchers, les « Poirier » fruitiers, etc. Sauveur, Pierre, Marine, Richard, Violette... peuvent être des prénoms de scénario. Les prénoms doubles donnent parfois l'indication qu'on peut avoir une personnalité de rechange. Plus encore que ces noms et prénoms de l'état civil, tous les surnoms, diminutifs et autres sobriquets attribués aux enfants par leurs parents ou par d'autres personnes de leur entourage sont autant de signes qui les renseignent sur ce qu'on attend d'eux.

Les modèles : le programme

Construisant ainsi leur scénario, les enfants ont besoin, pour pouvoir le suivre, de modèles. Ils les trouvent dans leur proche entourage, soit chez l'un ou l'autre parent (en général celui du même sexe), soit chez un oncle, une tante, un grand-père, auxquels on dit qu'ils ressemblent. La vie de ces personnes définit pour eux un programme dont ils peuvent s'inspirer pour la suite de leur existence. Par exemple, un garçon qui a une injonction « Ne sois pas proche ! » et une directive « Acharne-toi ! », qui proviennent de sa mère, peut s'inspirer du modèle paternel pour voir comment tirer parti de ces contraintes, puisque aussi bien son père a su répondre aux attentes de sa mère à sa manière. Il constate que celui-là travaille dur, fait des heures supplémentaires, veut sans cesse se perfectionner et pour cela participe à quantité de stages et de séminaires qui le tiennent éloignés de la maison. Certes, il n'est pas toujours drôle, il est renfermé, il ne sait pas se détendre, être chaleureux avec sa famille, comme les pères d'autres copains, mais il est sobre, courageux, il se tue au travail et tel quel, il plaît à son épouse. Le petit enfant peut alors décider : « Quand je serai grand, j'aurai un beau métier, je m'y consacrerai, je gagnerai de l'argent, c'est ce qui compte dans la vie ! »

D'autres indications peuvent informer l'enfant sur le sort qui lui est réservé. C'est le cas lorsque son père ou sa mère lui disent : « Tu es tout le portrait de l'oncle Jean » ; ou « Tu me rappelles tellement ma pauvre sœur ! » Ce faisant ils lui délivrent en même temps un plan de vie tout prêt. L'oncle Jean a pu être un joyeux drille qui a vécu d'amour, d'eau fraîche et d'expédients ou un vieux célibataire grognon. La pauvre sœur aura pu être une personne dépressive qui a fini sa vie malade et désespérée ou une femme malheureuse en ménage, qui n'a eu aucune joie dans l'existence... La conclusion de l'enfant peut quand même être : « Je n'ai qu'à suivre la voie de l'oncle Jean ou de la tante Élise, c'est là le sort qui m'est réservé ! »

Les héros réels ou imaginaires : des exemples

L'enfant trouve d'autres figures exemplaires dans les personnages de contes de fées qui ont peuplé son enfance et parmi les héros historiques. Un bon moyen d'aider quelqu'un à connaître son scénario consiste à lui demander quel était son conte ou son héros préféré. On se rend compte alors qu'il y a plus que des coïncidences dans le fait que celui ou celle qui a vibré aux exploits de Jeanne d'Arc apparaisse dans sa vie privée et publique comme un sauveur, prêt à s'engager dans toutes les grandes causes et à voler au secours de ceux qui sont dans l'embarras. Que celle qui a lu et relu la Belle au Bois Dormant soit une personne passive, qui n'ose jamais faire le premier pas et qui attend toujours qu'on décide tout pour elle. Que celle qui a tremblé à Barbe-Bleue soit timorée, craigne de découvrir des vérités effrayantes ou bien considère les hommes comme des brutes à ne pas fréquenter de trop près, etc. Bien entendu, ce ne sont là que des exemples. Ce qu'il est vraiment intéressant de faire lorsqu'on travaille sur le scénario de quelqu'un c'est de lui demander de raconter son conte préféré tel qu'il s'en souvient. C'est une bonne base de départ pour voir comment il l'a interprété et quels sont les points saillants qu'il en a retenus. Ce sont souvent les pivots de son scénario. Ensuite on peut revenir au conte lui-même pour enrichir la réflexion. Mais il ne faut pas oublier qu'un enfant lit ou écoute un conte au premier degré, il n'a pas de références culturelles pour l'interpréter comme une œuvre littéraire. Cette histoire qu'il entend, il sait bien qu'elle n'est « pas vraie », mais en même temps, elle lui donne des indications sur des possibilités de vivre et de s'en sortir à partir de points de départ parfois tragiques qui rejoignent ses injonctions. Enfant rejeté par ses parents (le Petit Poucet), petit garçon trop laid donc pas aimé (Riquet à la Houppe), petite fille à qui on dit « Ne t'amuse pas ! » (le Petit Chaperon rouge), etc. L'enfant va choisir parmi toutes ces histoires celle (ou celles) qui lui permet de donner un sens et une issue possibles à son injonction de base. Il va l'entendre sans se lasser. Il va la réclamer dix fois. Il va s'en servir pour construire son scénario. Le seul inconvénient, c'est que dans un certain nombre de contes de fées, le héros est délivré de son mauvais sort par une intervention extérieure. En particulier, les princes sont chargés de réveiller les belles jeunes filles mortes (Blanche-Neige), endormies (la Belle au Bois Dormant), ou enlaidies (Peau-d'Âne). Cette croyance en un événement-miracle qui va résoudre tous les problèmes de la vie quotidienne continue souvent à exister dans l'état du moi Enfant de ceux qui ont atteint depuis longtemps « l'âge de raison ».

Ils vivent dans la première partie du conte qui est leur scénario et une partie de leur moi espère fermement le miracle qui les en délivrera. Les « Cendrillon » actives et résignées croient qu'un prince finira par venir avec un « soulier de vair » pour les sauver. Les « Petit Poucet » perdus et inquiets s'imaginent qu'un jour ils étonneront tout le monde en affrontant un « ogre » terrible. Les « Petit Chaperon rouge » dominées par un méchant loup rêvent du chasseur qui les en débarrassera. Les « Jacques » qui cultivent des rêves qui grandissent à la vitesse du « haricot magique » espèrent qu'ils déboucheront sur un monde merveilleux comme par enchantement, etc. Tous croient, à proprement parler, au « Père Noël ». C'est pourquoi, changer les décisions de l'enfance et sortir de ces scénarios de contes de fées constitue à la fois une délivrance et une douleur, car on doit renoncer à cet espoir magique de tout voir s'arranger par miracle, pour prendre soi-même son destin en main.

En m'intéressant, non plus aux contes, mais aux chansons qui bercent l'enfance des petits Français, et qui peuvent également être des points de départ de scénarios, j'ai fait une remarque que je livre ici, bien qu'elle n'ait aucune valeur scientifique ou statistique. J'ai le sentiment que de nombreuses chansons françaises signifient souvent : « Ne sois pas proche ! », « Chacun pour soi ! », « Ne t'occupe pas des autres », « Débrouille-toi tout seul ! » etc. Que disent-elles en effet ?

J'ai du bon tabac
Tu n'en auras pas
Ce n'est pas pour ton vilain nez

Dansons la capucine
Y'a pas de pain chez nous
Y'en a chez la voisine
Mais ce n'est pas pour nous !

Ne sait quand reviendra
Il reviendra-z-à Pâques
Ou à la Trinité!

Mon ami Pierrot
Donne-moi ta plume
Pour écrire un mot
Je n'ai pas de plume
Je suis dans mon lit
Va chez la voisine!

On dit qu'elle est malade
O gué vive la rose
J'espère qu'elle en mourra
Vive la rose et le lilas!

Le sort tomba sur le petit mousse
C'est donc lui qui qui qui sera mangé!

Etc.

Les scénarios partent donc de positions de vie de base qui en donnent le ton ; ils contiennent un sort, généralement négatif transmis par les injonctions : « N'existe pas ! », « Ne réussis pas ! », « Ne sens pas ! », etc. Pour répondre à ce sort ou pour tenter d'y échapper, l'enfant fabrique un plan de vie (parfois appelé contre-scénario) à l'aide d'éléments qui lui sont fournis par son proche entourage et ses expériences quotidiennes. C'est l'Enfant dans l'Enfant (E-1) qui reçoit les injonctions et les permissions et qui y réagit émotionnellement. C'est le Petit Professeur qui prend des décisions en fonction de ces injonctions et permissions et des directives et programmes adressés à l'Enfant Adapté (P-1). C'est cet Enfant Adapté qui mettra en œuvre le scénario, guidé par le Petit Professeur et sous l'influence de son Parent interne.

En Analyse Transactionnelle, le travail sur le scénario consiste d'abord à le mettre au clair puis à changer les décisions de survie négatives. Mais il ne s'agit pas de jeter le bébé avec l'eau du bain. Il y a dans la plupart des plans de vie des éléments positifs qui bien utilisés concourent à l'épanouissement de la personne. Par exemple, un homme qui a une directive « Sois fort ! » avec une injonction « N'exprime pas tes sentiments ! » est souvent quelqu'un de solide (en apparence) sur qui on peut compter, à qui beaucoup de gens font confiance. Mais, en même temps, il souffre de ne pas pouvoir se laisser aller et il risque à terme de « craquer » dans une dépression, un infarctus, ou tout autre manifestation dramatique qui permettrait à ses sentiments trop longtemps niés de se faire entendre. Il s'agit pour lui de changer sa décision de base qu'il est « dangereux d'exprimer ses sentiments ». Cela ne signifie pas qu'il lui faille aussi cesser d'être fort. Il a le droit d'être fort *et* d'exprimer ses sentiments *et* de reconnaître ses faiblesses. Ceux qui l'entourent pourront voir en lui un homme solide et en même temps chaleureux et sensible. La reconnaissance même de ses sentiments « interdits » ne pourra qu'accroître une force non plus vécue comme une obligation accablante, mais pleinement assumée. Cependant, et quels que soient les bénéfices objectifs que l'Adulte reconnaît dans la remise en question de son scénario de vie, la plupart d'entre nous répugnent à s'en défaire. Pour l'Enfant, cela signifie désobéir de façon dangereuse à des messages parentaux et à des décisions du Petit Professeur perçues à la fois comme extrêmement contraignantes et comme une garantie de survie. Les risques sont très grands, le mythe de l'Enfant est : « Si je change, je risque de mourir, ou de devenir fou, ou de tuer quelqu'un ! » ; c'est-à-dire : « Si je change je risque de me soumettre à l'injonction parentale négative de base à laquelle je veux échapper ! »

Lorsqu'une personne se sent menacée, agressée par la mise en question d'une des conclusions de survie de son enfance, elle se met dans son état Enfant, ce qui lui permet de préserver cette conclusion et de ne pas affronter le danger de cette remise en cause. Elle adopte à nouveau le raisonnement, le comportement, l'attitude mentale de l'époque où elle a pris cette décision. C'est une réaction qu'on peut observer quotidiennement dans les relations humaines.

Par exemple, deux amies discutent et échangent des confidences. L'une se plaint à l'autre du comportement de son mari et raconte combien une fois de plus il a été odieux avec elle. Si l'autre se mêle de lui dire, avec des arguments Adulte, que peut-être il n'avait pas tous les torts, qu'il faudrait essayer de comprendre les raisons de son comportement, il y a de fortes chances pour que la première réagisse en se mettant en colère, en pleurant, en se laissant emporter par un flot d'arguments, en se fermant au raisonnement de son amie. Rougeurs, débit précipité, pleurs et colère sont alors une manifestation de l'Enfant qui défend sa conclusion de survie. Cette conclusion peut être : « Il n'y a rien de bon à attendre des hommes, ce sont tous des brutes ! » ; ou : « Le mariage ne peut se vivre que dans des scènes perpétuelles ! », etc.

Elle a besoin de défendre cette conclusion qui justifie une grande partie de sa vie actuelle : Elle ne peut le faire « confortablement » que depuis son état du moi Enfant.

Mêlant positions de vie, injonctions, directives, programmes et exemples, les scénarios sont extrêmement variés. Des tentatives de regroupement en ensembles ont été opérées par divers auteurs. J'en retiendrais deux. D'abord celle, très générale, qui les classe en scénarios gagnants, perdants, destructeurs et banals ou non gagnants. Les scénarios gagnants sont fondés sur la position de vie + +, ils ont le plus de chance d'être vécus par ceux qui ont pu recevoir beaucoup de permissions et de signes de reconnaissance positifs. Ils se sont fixé des buts successifs qu'ils ont su atteindre sans gaspiller leur énergie à maintenir des conclusions de survie et à suivre un plan de vie rigide et contraignant. Les scénarios perdants sont en général fondés sur des positions de vie Je – Vous + : intensément et souvent expérimentés ils produisent des signes de reconnaissance essentiellement négatifs, sont à l'origine de vies difficiles, où les choses tournent souvent mal, où les personnes se sentent facilement découragées et vaincues par l'existence. Les scénarios destructeurs proviennent de positions de vie Je + Vous – ou Je – Vous – poussés à l'extrême. Ils ont une fin tragique et se terminent à l'asile, à la morgue ou devant les tribunaux. Enfin les scénarios banals ou non gagnants voient se dérouler des vies ternes, successions d'échecs sans éclat et de réussites dérisoires, où la position de vie de base n'est jamais intensément vécue, où les signes de reconnaissance donnés et reçus sont peu impliquants, où la personne évite les situations qui comportent des risques (même imaginaires).

Nous devons à Éric Berne un classement des scénarios les plus couramment vécus en six rubriques :

1. Le scénario « jamais »; les personnes ne peuvent jamais obtenir ce qu'elles désirent le plus, leur Parent le leur interdit. « La vie n'est pas faite pour s'amuser ! »

2. Le scénario « toujours »; par lequel on doit toujours continuer à faire la même chose : travailler dur, vivre tout le temps avec la première personne choisie, se consacrer à une œuvre, etc. « Comme on fait son lit on se couche ! »

3. Le scénario « jusqu'à ! » ou « avant ». La récompense doit venir à un moment donné, qu'il faut attendre : « Après quarante ans on peut se laisser aller à vivre ! » « Fonde un foyer, aie trois enfants, élève-les, après tu pourras vivre ta vie ! »...

4. Le scénario « après ». C'est l'antithèse du précédent. On peut prendre du plaisir dans la vie jusqu'à un certain moment. « Quand on entre dans la vie professionnelle, les ennuis commencent ! », « Une fois que les enfants sont élevés, on n'est plus bon à rien ! »

5. Le scénario « presque ». Avec ce scénario on a presque réussi sa vie, on est presque un bon chanteur, presque élu, on a presque obtenu le titre qu'on convoitait.

6. Le scénario « sans conclusion ». Le plan de vie n'est prévu que jusqu'à un certain moment, après on ne sait plus quoi faire. Quand on a obtenu ses diplômes, quand les enfants sont élevés, quand on a reçu un prix, on est désemparé et sans but [5].

Voici, en illustration de ce chapitre, deux matrices de scénarios, la première à l'origine d'un plan de vie destructeur, la seconde entraînant un scénario banal :

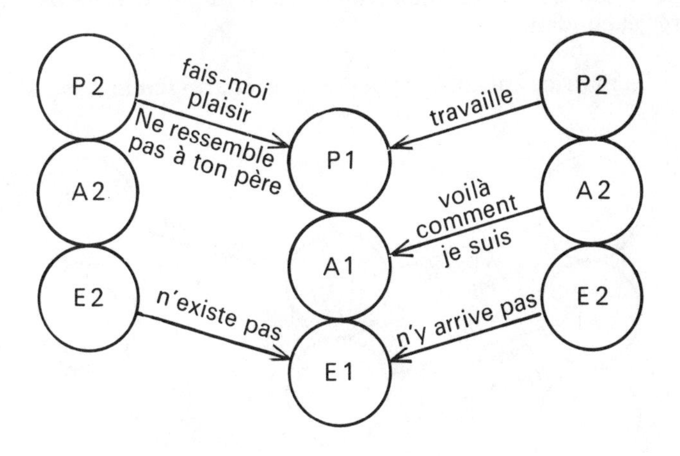

Le père est un repris de justice qui fait des apparitions éclair à la maison. La mère est usée par la vie et a accueilli sans aucune joie son enfant, elle lui en veut d'être au

5. Ce résumé du classement des scénarios selon Berne est largement inspité du *Mémento d'Analyse Transactionnelle* de S. Woolams, M. Brown et K. Huige.

monde. La seule chose qu'elle attend de lui c'est qu'il ne ressemble pas à son père, ce qui l'amène à lui dire à chaque fois qu'il fait une bêtise : « Tu finiras comme ton père ! » Le père lorsqu'il s'intéresse à ce que fait son fils lui demande de travailler dur, d'aider à la maison, il le bat souvent en le traitant de fainéant et de tire-au-flanc. Même si le gamin fait quelque chose de bien, il trouve que ce n'est pas assez, il ne reconnaît pas ses réussites. En même temps, il lui donne l'exemple de sa conduite. L'enfant décide : « Quoi que je fasse ce n'est pas bien, je ne vais pas ressembler à papa, ce minable, je vais être encore plus fort que lui dans sa partie. Et si je me fais prendre, eh bien, tant pis, de toute façon personne ne désire me voir vivre. » C'est ce qu'il fait en devenant un authentique truand qui finit par se faire capturer et condamner.

La matrice suivante présente un scénario féminin banal :

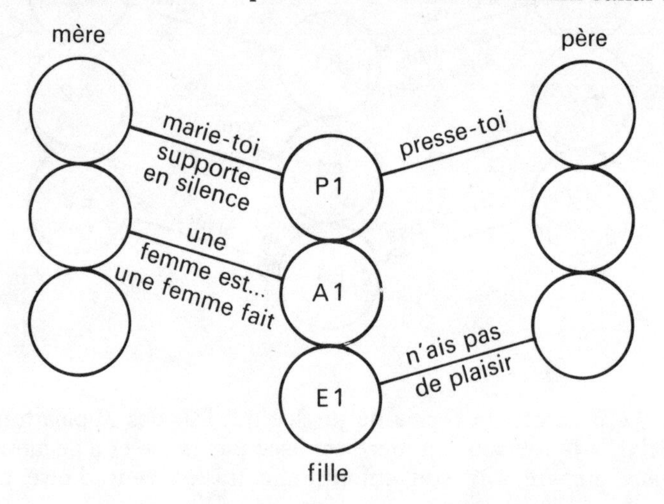

Avec de tels messages, la personne peut décider de se marier, d'avoir des enfants, mais aussi d'avoir des tâches, professionnelles ou autres, qui la surchargeront de travail, la maintiendront sous pression et ne lui laisseront pas un moment de répit. Ainsi elle apparaîtra comme une « sainte » si dévouée à sa tâche et à ses enfants qu'elle n'aura jamais le temps de s'occuper d'elle-même et d'avoir du plaisir dans l'existence.

Comment on fait avancer le scénario

Ces scénarios ainsi ébauchés dans l'enfance se déroulent par séquences successives tout au long de la vie avant que ne vienne s'y inscrire le mot « FIN ». Ces séquences mettent en jeu les sentiments et les relations de la personne qui les vit. Elles se manifestent dans les rapports qu'elle établit avec ses partenaires et elles trouvent leur écho à l'intérieur même de sa structure. Souvent répétitives et contraignantes, ces séquences externes et internes font néanmoins progresser le scénario vers sa conclusion.

Le mini-scénario [6]

Brève séquence qui fait avancer la grande roue du scénario, le mini-scénario peut se vivre en relation avec d'autres ou en solitaire, mais sa dynamique est essentiellement interne. Il se déroule lorsque, dans une situation plus ou moins familière, un individu se trouve sous l'emprise

6. Instrument mis au point par Taibi Kahler et Capers.

des directives et des injonctions parentales ; son Enfant répond de manière stéréotypée à ces messages et il en résulte des sentiments, en général négatifs, qui lui sont familiers. Un exemple éclairera cette démarche.

La directive parentale pour cette personne est : « Vas-y ! », « Essaie ! »

L'injonction qui vient de l'Enfant du Parent est : « Ne réussis pas ! » Pris entre ces deux messages contradictoires, devant une situation où il doit prendre des risques, son Enfant prend souvent comme décision : « Plutôt que d'échouer, je n'essaie pas et je me trouve toutes sortes de raisons pour ne pas y aller ! » C'est le Petit Professeur qui pour sortir de ces messages contradictoires pousse l'Enfant Rebelle à prendre cette décision. Les sentiments qui en résultent sont des sentiments d'impuissance, d'apitoiement sur son propre sort, de complaisance à étaler ses malheurs. Concrètement, cela se passe ainsi, on propose, par exemple, à cette personne une tâche nouvelle et intéressante pour elle : « Voulez-vous me remplacer à la présidence lors de la prochaine assemblée ? » Elle est tentée, elle entend la directive parentale qui lui dit : « Vas-y, ose ! », mais en même temps elle sent obscurément qu'elle ne sera pas à la hauteur, c'est l'écho de l'injonction parentale « Ne réussis pas ! ». L'Enfant est pris entre ces deux messages. Il s'en sort en déclinant l'offre : « Plutôt que de rater, je n'essaie pas ! », avec des raisons qu'il est seul à juger bonnes. Je ne sais pas si je suis libre ce jour-là, je n'aurai pas le temps de préparer mon intervention, je ne peux pas vous donner de réponse tout de suite...

Lorsqu'on a accepté son refus, il se sent maussade, mécontent. Assistant à l'assemblée qu'il aurait dû présider, il rumine sa tristesse, se complaît à se dire : « J'aurais pu être au siège du président en ce moment, on m'aurait remarqué, j'aurais certainement été meilleur qu'Untel, je n'ai pas de chance, je ne sais pas me débrouiller ! », etc.

Tout le monde ne réagit pas de la même façon face à de tels messages, chaque Enfant a ses propres décisions quant à ce qu'il convient de faire. L'un pourra décider par exemple : « J'y vais et je vais me casser la figure ! », confirmant d'une autre façon le message parental « Ne réussis pas ! » et récoltant des sentiments de colère et de joie mauvaise.

Mais le mini-scénario est caractérisé par une séquence qui se répète souvent de la même façon pour chacun, indépendamment des circonstances extérieures qui y conduisent. On retrouve toujours la même dynamique qui se termine sur les mêmes sentiments négatifs. La progression du mini-scénario fait l'objet d'un schéma :

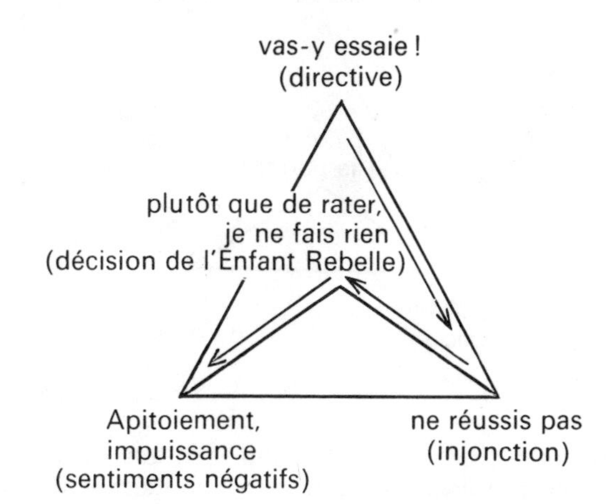

La mise en évidence du mini-scénario ne représente pas qu'un intérêt démonstratif, c'est aussi un très bon instrument thérapeutique lorsqu'il est bien employé. Quand le patient et le thérapeute ont mis en évidence un mini-scénario négatif spécifique, le thérapeute peut proposer un mini-scénario positif de remplacement en donnant des permissions adéquates. Aussi étonnant que cela puisse paraître, la mise en place de ce mini-scénario positif fonctionne comme si on délivrait le patient d'une malédiction. En lisant et en entendant son nouveau mini-scénario, il éprouve souvent de fortes émotions positives et se sent tout à coup libéré d'un système étouffant. Si ce travail est suivi et consolidé, c'est un premier pas important dans la remise en question de l'ensemble de son scénario de vie.

Mini-scénario positif opposé au mini-scénario négatif précédent :

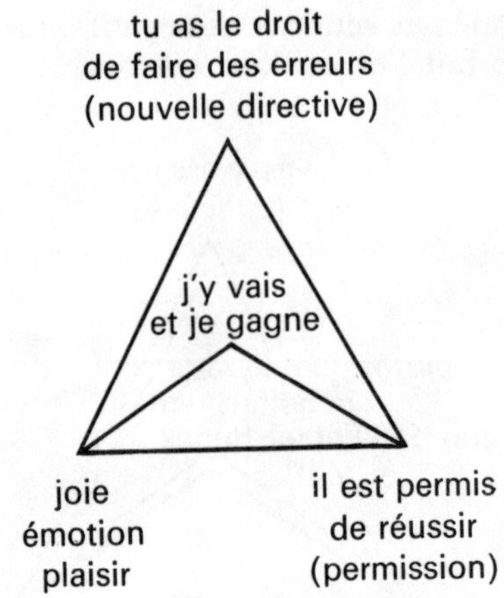

Notons que c'est le patient qui, partant de nouvelles directives et permissions données par le thérapeute, tire la conclusion centrale et dit les nouveaux sentiments qu'il éprouve.

Deux autres exemples de mini-scénarios positifs et négatifs :

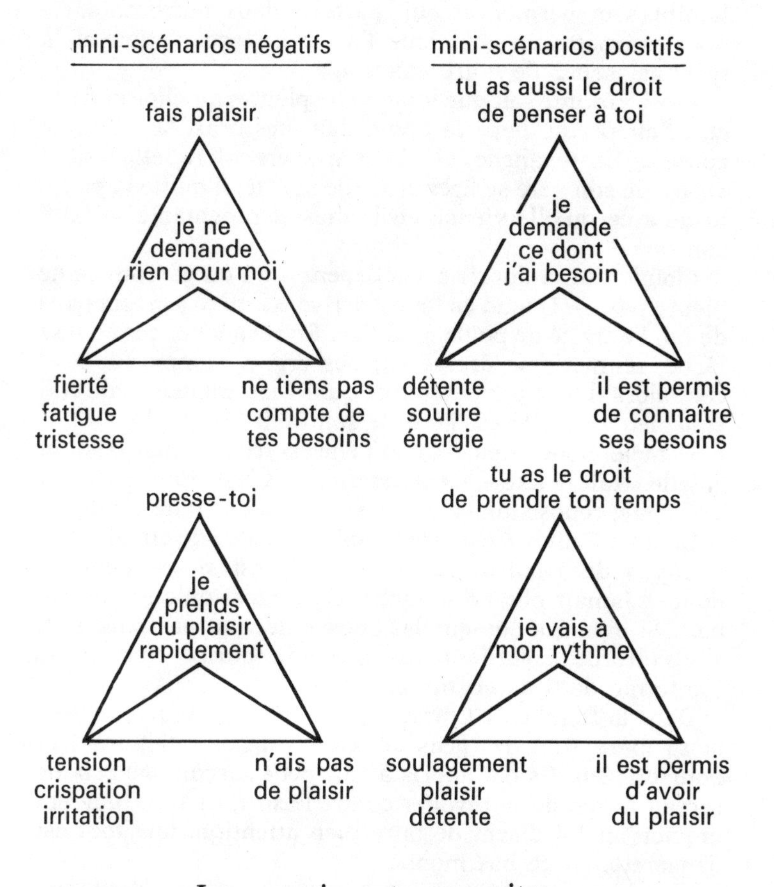

Les sentiments parasites, la collection de timbres

Ces sentiments que l'on récolte à l'issue d'un mini-scénario négatif correspondent à ce que l'A.T. appelle « les sentiments parasites [7] ». Ce sont des sentiments, en général négatifs, auxquels nous sommes habitués, qui nous sont familiers et permis, et qui, parfois, dans notre enfance, nous permettaient d'obtenir l'accord, l'acceptation et la reconnaissance de notre entourage.

Ainsi Virginie sait que lorsqu'elle pleure, qu'elle est triste et a l'air perdu, papa la prend dans ses bras, la câline, la console. En revanche, si elle se met en colère, elle voit le visage de son père se figer et si elle insiste, il quitte la pièce, jusqu'à ce qu'elle vienne en larmes et repentante se faire consoler.

Claude, lui, a appris à ses dépens « qu'un garçon, ça ne pleure pas ! ». Quand ça lui est arrivé, sa mère s'est moquée de lui, l'a traité de poule mouillée. En revanche, quand il se fâche, tempête, se dresse sur ses ergots comme un petit coq, alors il finit par obtenir ce qu'il veut, maman cède et il voit bien « qu'elle est fière de son petit homme ! ».

Danièle, pour sa part, lorsqu'elle est triste et maussade et qu'elle « fait la tête », s'entend dire : « C'est simplement de la fatigue, repose-toi, ça va passer, je vais te faire un thé ! »

Quant à Céline, c'est bien simple, on a décidé qu'elle était le rayon de soleil de la famille, elle est si souriante, si douce ! Jamais elle ne se fâche. C'est ainsi qu'on la reconnaît. Si bien que lorsque les choses ne vont pas pour elle, elle s'efforce de garder quand même le sourire, ou bien elle s'enferme dans sa chambre.

Dans la famille de Christian, on a peur de tout, son père et sa mère sont des gens doux et résignés qui tremblent pour un rien. Ils ont appris à leur petit garçon que cela ne servait à rien de se révolter contre le sort, ils sont toujours inquiets et lui disent de faire bien attention, que tout est dangereux en ce bas monde.

Chacune de ces personnes a donc appris dans son enfance quels étaient pour elles les sentiments permis et les

7. Les Américains utilisent le terme de *racket* qui contient l'idée que ces sentiments sont employés dans le but d'intimider les autres.

sentiments interdits. Elles ont constaté que lorsqu'elles exprimaient certains sentiments (la tristesse, la colère ou la joie) cela marchait, alors que d'autres (la colère ou la tristesse, la joie ou la jalousie) étaient soit mal vus, soit non reconnus, ou très peu exprimés eux-mêmes par leur proche entourage.

Elles ont ainsi mis en place un système de sentiments parasites, c'est-à-dire de sentiments automatiquement activés, face à des situations et à des relations émotionnellement chargées, les sentiments sont parfois adéquats à ce qu'elles vivent, mais ils remplacent aussi souvent d'autres sentiments interdits ou ignorés.

C'est ainsi que Virginie, aujourd'hui mariée et mère de famille, a les pleurs faciles. Devant des contrariétés que lui causent son mari, ses enfants, sa belle-mère, ses amies, elle fond en larmes, elle ne sait réagir que par le désarroi et la tristesse. Même quand un grand bonheur lui échoit cela la rend mélancolique. Mais il est rarissime qu'elle s'énerve et se mette en colère. Elle a peur des cris et de la violence.

Pour Claude, qui est également marié, et qui occupe un poste de direction dans une grande entreprise, c'est tout le contraire : lui s'emporte pour un oui et pour un non. Quand les choses ne vont pas comme il voudrait, dans sa famille et au travail, il se met en colère, il hurle, il tempête, il claque les portes. Ses crises sont célèbres dans son entourage, même si elles n'impressionnent plus vraiment aucun de ceux qui le connaisent bien. Certains vont même jusqu'à dire que « c'est du cinéma ».

Quand à Danièle, secrétaire d'un avocat, célibataire, elle a beaucoup d'activités diverses. Elle est très vite fatiguée. Une de ses phrases favorites est : « Je suis é-pui-sée ! » Chaque discussion, chaque contrariété, la vide de toute son énergie. Elle n'a qu'une envie après cela, c'est de laisser tout tomber et d'aller se coucher.

Etc. Céline continue à faire contre mauvaise fortune bon cœur et Christian à vivre dans un sentiment de peur quasi perpétuelle.

Chacun a donc ainsi un, deux ou trois sentiments parasites qui lui sont habituels, qu'il sait manier et dont il connaît les effets, alors que d'autres sentiments sont pour lui interdits et ne voient quasiment jamais le jour. Cependant cette inversion de sentiments ne se fait pas sans mal. Le fait d'être triste au lieu de reconnaître sa colère ne fait pas pour autant disparaître celle-ci. Alors que devient-elle ? Elle est en quelque sorte stockée ! L'A.T. pour expliquer ce mécanisme a développé une analogie qui est devenue une de ses grilles d'analyse. Il s'agit des timbres-escomptes. Nous connaissons tous, bien que leur usage soit moins répandu en France qu'aux États-Unis, ces carnets de timbres que distribuent certains commerçants et sur lesquels nous collons des petites vignettes dont le nombre est proportionnel au montant de nos achats. Lorsque nous avons rempli un carnet, nous allons l'échanger contre un cadeau. Parfois, le système est encore plus perfectionné et nous pouvons choisir de remplir des carnets plus ou moins épais en échange de cadeaux plus ou moins coûteux. Et bien, le système des sentiments interdits est quasiment identique. Chaque « unité » de colère ou de tristesse, ou de peur non exprimée et remplacée par des sentiments de substitution, reste en nous. Elle constitue un timbre de colère ou de tristesse ou de peur... et lorsque le carnet est rempli, nous nous donnons alors le droit de l'échanger contre un « cadeau », c'est-à-dire de nous laisser aller à exprimer avec d'autant plus de violence qu'il a plus longtemps été stocké, le sentiment interdit. Notre Parent interne, nous dit en quelque sorte : « Cette fois-ci c'en est trop ! tu en as trop supporté ! tu peux réagir ! » Et devant la stupéfaction de celui qui a donné le dernier timbre – mais qui n'est pas forcément au courant de l'existence d'une collection – l'épouse larmoyante entre dans une fureur noire, le patron coléreux s'effondre, la secrétaire épuisée fond en larmes et débite un torrent de griefs, celle qui avait l'air de tout prendre à la rigolade fait une dépression, le personnage timoré et constamment inquiet retrouve le fameux courage des timides et dit ses quatre vérités à celui qui l'impressionnait le plus.

Chacun d'eux a échangé son carnet de timbres contre un « cadeau ». Mais, comme pour les vignettes-escomptes, les timbres-sentiments peuvent faire l'objet de collections plus ou moins importantes. Plus le sentiment est interdit, plus le carnet sera épais, plus, lors de l'échange, le cadeau sera important. C'est-à-dire, la réaction violente : la colère pourra devenir meurtrière, la tristesse s'exprimer par une grave dépression, la peur prendre la forme d'une terreur panique, le besoin de se laisser aller se traduire par un infarctus, etc. Ce faisant, les personnes ont obéi à leur Parent interne d'abord en stockant les sentiments interdits, puis en finissant par les exprimer dans leur forme extrême. Cette expression, avec les conséquences qu'elle entraîne, peut représenter le point culminant ou la phase ultime de leur scénario, celle qui répond à leur injonction de base : « N'existe pas ! », « Ne réussis pas ! », « Ne pense pas ! » Même si la collection est plus réduite, l'expression de ces sentiments interdits est souvent violente et, d'avoir été si longtemps contenue, elle risque d'entraîner assez de réactions négatives pour amener la personne qui les vit à conclure : « Ce sont des sentiments dangereux qu'il vaut mieux ne pas exprimer ! » Ce qui lui permet de confirmer sa décision de base et d'ouvrir un nouveau carnet, jusqu'au prochain cadeau.

Notons enfin qu'on peut également collectionner des « timbres d'or ». C'est là le fait de certains « bourreaux de travail » qui ne se donnent pas le droit de vivre des moments de plaisir et de détente. Pour s'offrir un cadeau, « jour de vacances », « petite fête » ou « nouvelle robe », il faut qu'ils aient rempli un certain nombre d'obligations : bourré leur agenda pendant des mois, été des mères parfaites et dévouées pendant des semaines. Parfois même certains remplissent des carnets assez épais pour se reconnaître le droit de finir leur vie dans une île ensoleillée ou pour s'offrir un divorce tardif et connaître les joies d'une « vieille dame indigne ».

Les jeux

Le mini-scénario ainsi que les sentiments parasites et les collections de timbres sont des éléments qui, pour faire évoluer le scénario, trouvent l'essentiel de leur énergie et de leur dynamique dans les relations internes de nos états du moi. Les événements ou les personnes qui déclenchent cette dynamique n'interviennent (quand ils interviennent) que comme des catalyseurs d'une réaction structurelle qui nous est propre. Mais pour mener à bien les séquences de scénarios que constituent les jeux, nous avons besoin de partenaires actifs, qui nous donnent la réplique et qui ont, lorsque ce sont de bons partenaires, des jeux complémentaires aux nôtres. Ainsi, nous nous entraidons pour faire avancer nos scénarios respectifs, pour nous confirmer dans nos positions de vie, pour recevoir et donner les signes de reconnaissance dont nous avons besoin, et qui valident nos décisions de vie, et, dans certains cas même, pour nous ramener à notre injonction originelle. Dans les jeux nous utilisons nos partenaires pour vérifier la « réalité » des messages que nous envoyaient nos parents et parfois nous nous en servons comme substituts des personnages qui ont peuplé notre enfance.

Nous avons déjà abordé dans ce livre les jeux sous l'angle de la structuration du temps. Nous allons ici les examiner du point vue de la structuration de notre plan de vie.

Prenons pour cela l'exemple d'un jeu très fréquemment joué, aussi bien dans l'entreprise qu'en thérapie ou dans les relations sociales, il s'agit du jeu connu sous le nom de « oui... mais... ».

Deux secrétaires sont en train de discuter :

– *Janine :* Te rends-tu compte ! Il m'a laissé tout ce courrier à taper et il veut que j'aie terminé à midi !

– *Ginette :* Il exagère vraiment, si tu veux, je peux te donner un coup de main, j'ai un peu de temps.

– *Janine :* Merci, c'est sympa, mais il est si tatillon, ça me prendrait plus de temps de t'expliquer ses exigences que de le taper moi-même, je ne sais vraiment pas ce que je vais faire !

– *Ginette :* Écoute, tu n'as qu'à classer par ordre d'urgence et commencer à faire ce que tu peux.

– *Janine :* Oui, c'est une idée. Mais non, ce n'est pas possible, tu ne le connais pas, quand il demande quelque chose, il faut que ça soit fait !

– *Ginette :* Oh la la, quel patron, moi à ta place j'irais voir Untel, il cherche une secrétaire !

– *Janine :* Tu crois ?... Mais tu sais, je suis tellement habituée à celui-là. (Silence.)

– *Ginette :* Oh excuse-moi ! J'entends X qui arrive, il faut que je retourne dans mon bureau.

– *Janine* (avec un soupir) : Bon, tant pis, je vais voir comment je peux me débrouiller toute seule !

Une telle séquence relationnelle est, comme nous l'avons vu, une façon plus intéressante et plus impliquante de structurer le temps que dans le rituel, le passe-temps ou même l'activité. Elle présente aussi l'intérêt de s'inscrire dans le scénario de chacune des deux personnes qui y sont engagées.

Pour Janine, à la fin de la séquence elle a confirmé une de ces décisions d'enfant : « Personne – et sans doute pas mes parents – ne peut m'aider ! » Mais pour prouver cela, elle a besoin d'abord de demander de l'aide, elle a l'air impuissante, elle appelle au secours. Elle cherche un Parent, mais quand ce Parent se présente, son « plaisir » est de finir par repousser son aide, de prouver une fois de plus que « les parents ne sont pas capables de répondre aux attentes de leurs enfants ! ».

Cela peut correspondre à des expériences primitives qu'elle a vécues. « Quand j'ai besoin d'eux, ils ne sont pas là. » En même temps, Janine a expérimenté à la fin du jeu sa position de vie favorite, qui peut être soit : Je + Vous – (« Je me débrouille seule, j'ai plein de travail et je m'en sors quand même, vous êtes incapable de faire quoi que ce soit pour moi ! »), soit Je – Vous – (« En fait, je ne vais pas me débrouiller, je suis perdue, et vous n'avez pas pu m'aider ! »).

De son côté, Ginette joue également à un jeu qui s'appelle : « J'essaie seulement de vous aider ! » Voulant voler au secours de Janine, elle rate sa mission et finit par l'abandonner à son sort. Elle a sans doute agi sous l'influence d'une directive parentale « Fait plaisir ! », pour confirmer une décision telle que « Dans la vie je serai toujours dévouée et gentille avec les gens, même s'ils ne doivent pas le reconnaître ! », et peut-être a-t-elle aussi entendu son injonction « Ne réussis pas ! » (à faire plaisir). Elle va également expérimenter sa position de vie, soit, Je + Vous – : « J'essaie de vous aider, je me dévoue et vous n'êtes qu'une ingrate ! » ; soit Je – Vous + : « Je suis incapable de vous aider vous qui vous donnez tant de mal, qui travaillez tellement !» Cela dépend de ce qu'elle cherche à prouver.

Éric Berne en analysant de nombreux jeux a mis au jour une dynamique commune, qui se retrouve sous différentes formes dans la plupart d'entre eux.

Je vais en démontrer le mécanisme en me servant de l'exemple de la partie de « oui... mais » entre Janine et Ginette.

Un jeu commence en général par une *accroche* (parfois appelée « attrape-nigaud »), sous la forme d'une transaction directe : « Tu te rends compte, il m'a laissé tout ce courrier à taper et il veut que j'aie terminé avant midi. » Cela n'aurait pu être que l'annonce d'un passe-temps du type « C'est affreux! », si cette transaction n'avait pas accroché le *point faible* de Ginette, en l'occurrence sa directive « Fais plaisir! ». Celle-ci est alors *ferrée,* elle entre dans le jeu de Janine c'est-à-dire dans la série de transactions qui suit (propositions et refus), jusqu'au *renversement de situation* vers la fin, quand Ginette abandonne : « Il faut que je retourne à mon bureau! » C'est alors le *coup de théâtre* final, Janine n'a jamais voulu qu'on l'aide, elle cherchait à confirmer qu'elle devait « se débrouiller toute seule! ». A l'issue du jeu chacune des partenaires a recueilli le *bénéfice* qu'elle en attendait sous formes de signes de reconnaissances négatifs (« On m'abandonne! », « On ne me fait pas confiance! ») et de timbres pour leurs collections respectives.

Ce jeu du « oui... mais » est joué ici sous une forme relativement légère. Il n'a pas de conséquences graves pour l'une ou l'autre des partenaires. Les positions de vie ne sont pas vécues de façon très intense. Il s'agit de relations sociales classiques, souvent observables et qui n'entraînent pas de résultats vraiment dommageables, sinon un gaspillage d'énergie et de temps ainsi qu'un sentiment final d'irritation ou d'impuissance. Mais le jeu en vaut peut-être la chandelle. Pendant ces quelques minutes ces deux personnes ont échangé des signes de reconnaissance et des stimulations personnalisées et excitantes. Elles se sont reconnues mutuellement. Elles ont passé un moment plus passionnant que leur activité habituelle. Chacune a pu rajouter un petit timbre (de colère ou de tristesse) à sa collection. Enfin elles ont rassemblé des « munitions » pour des passe-temps ultérieurs du type : « On est débordé, on n'a pas une minute à soi», ou « Ces patrons sont vraiment des tyrans! »

Les jeux deviennent vraiment nuisibles, voire dangereux, lorsqu'ils sont joués avec beaucoup d'intensité, lorsque les signes de reconnaissance négatifs donnés et reçus sont virulents. Alors les joueurs s'en servent pour confirmer une position de vie de base très contraignante. Ils y consacrent une grande énergie destructrice. C'est pour eux une façon privilégiée de structurer le temps, et finalement ils leur permettent de vivre des épisodes dramatiques d'un scénario perdant ou tragique. Il s'agit alors de jeux du deuxième ou du troisième degré.

Par exemple, ce jeu du « oui... mais » est parfois joué de cette façon intense par des « patients chroniques ». Ils vont de thérapeute en thérapeute pour expérimenter leur version de ce jeu. Leur énergie vitale n'est pas utilisée pour faire progresser leur propre travail, mais pour contrecarrer toutes les propositions, ouvertures, conseils ou même possibilités d'amélioration que leur offrent leur traitement et leur thérapeute. Ils veulent absolument prouver que « Personne ne peut les aider ! », « Que leur situation est sans espoir ! », « Qu'eux-mêmes ne valent rien et que les parents auxquels ils font appel ne valent rien non plus ! », « Que jamais ils ne réussiront à s'en sortir ». S'ils rencontrent un thérapeute qui joue à « J'essaie seulement de vous aider ! », le jeu risque de durer assez longtemps. Quand le thérapeute finit par abandonner la partie, ils vont chercher un autre partenaire. Si leur injonction première est « N'existe pas ! », ils peuvent décider « qu'après N tentatives infructueuses, il ne leur restera plus qu'à se suicider ».

Une parade au jeu du « oui... mais » consiste à croiser la transaction. A la demande E ⟶ P : « Voulez-vous m'aider ? », il s'agit de répondre soit sur le monde Adulte-Adulte – « Quelles sont les solutions possibles ? » – soit sur le mode Adulte-Enfant – « Que voulez-*vous* faire ? » – ou bien encore, de se servir de son Parent Nourricier positif pour s'adresser à l'Enfant Libre ou au Petit Professeur – « Vous êtes capable de trouver une réponse en y réfléchissant », en même temps, on donne des signes de reconnaissance positifs. Cela n'est qu'un premier temps de la démarche, car casser un jeu est une entreprise moins simple qu'il y paraît (ce n'est d'ailleurs pas toujours nécessaire). Lorsqu'on refuse de rentrer dans le jeu de ses partenaires, cela les prive de signes de reconnaissance auxquels ils sont habitués et dont ils ont besoin. Parfois, les jeux leur permettent de rester dans leur contre-scénario (J'essaie ! Je fais plaisir ! etc.), et la rupture d'un jeu familier avec des partenaires habituels (conjoint, collègue, ami...) peut les ramener à leur injonction de base (On refuse mon aide ! Personne ne reconnaît mes efforts ! J'abandonne !). C'est pourquoi il faut veiller à remplacer ce mode de structuration du temps par d'autres aussi riches : d'agréables passe-temps, des activités stimulantes, des moments d'intimité et même des jeux habituels mais sous une forme plus légère et dédramatisée.

Les jeux décrits jusqu'ici dans ce livre, « Regarde ce que tu m'as fait faire ! », « oui... mais » et « J'essaie seulement de vous aider ! » ne sont que trois parmi un florilège très riche de jeux de toute nature recensés jusqu'à ce jour par les analystes transactionnels. Citons pour mémoire : « Sans toi ! », jeu très prisé dans les couples et où un des partenaires passe son temps à démontrer que « sans lui » (le mari tyrannique), « sans elle » (l'épouse envahissante), il lui serait possible de faire tant de choses passionnantes, d'avoir tant d'activités intéressantes.

— « Battez-vous ! », jeu fréquent dans les entreprises où quelqu'un s'emploie à monter deux collègues l'un contre l'autre. A l'un : « Vous savez que je ne suis pas mauvaise langue, mais je crois bon de vous avertir qu'Untel n'a pas dit que du bien de vous à la dernière réunion ! »; puis à l'autre : « Ah, dans cette boîte, même ceux qu'on croit les plus honnêtes deviennent suspects, tenez hier X m'a dit à votre sujet... », pour avoir le plaisir pervers de les voir finalement s'affronter directement dans une querelle.

— « Tribunal », jeu où excellent en particulier les enfants, quand à tour de rôle chacun vient se plaindre auprès de la mère (ou du père) pour les pousser à prendre parti pour l'un ou l'autre des plaignants. C'est un jeu qu'il vait mieux arrêter assez vite, car, que le juge ainsi pris à témoin finisse par donner raison à un des protagonistes ou par les renvoyer dos à dos, il a de toute façon failli à son rôle, ce qui permet aux enfants de conclure : « Les parents sont injustes, ou ne peuvent rien pour nous ! »

— « Harrassé » : c'est le jeu favori des responsables débordés de travail ou des mères de famille qui n'ont « pas une minute à elles ». Toutes leurs actions et transactions sont conduites pour prouver qu'ils n'ont pas le temps de prendre soin d'eux-mêmes, de faire attention à leurs propres besoins.

— « Je t'ai eu, salaud ! » : jeu pervers par excellence où à l'issue d'une série de transactions apparemment destinées à recueillir des informations un des deux partenaires finit par prendre l'autre en faute et par lui mettre le nez dans ses contradictions (« Tout s'est bien passé à la dernière réunion ? — Euh ! oui ! — Les gens étaient contents ? — Je le crois. — Il n'y a pas eu de problèmes ? — Pas que je sache ! — Pourtant M. Durand qui y était m'a dit qu'à la fin vous vous êtes bel et bien laissé coincé et que vous n'avez plus su maîtriser la situation ! »). Le second partenaire a joué à « Donnez-moi des coups de pieds ». Etc.

Une autre manière intéressante de décoder et de reconnaître les jeux est illustrée par le triangle d'amatique [8]. Dans un jeu il y a trois positions de départ possibles : Persécuteur, Sauveteur ou Victime. A la fin d'un jeu, il y a changement de position d'au moins un des partenaires. Un bref exemple permettra de comprendre cette dynamique.

La scène se passe lors d'une réunion des responsables d'une association :

« Il faut prévoir une autre réunion dans deux jours, qui veut se charger de prévenir les absents ?

Échange de regards en silence, jusqu'à ce que Patrick :

— Je veux bien le faire, bien que j'aie vraiment beaucoup de travail en ce moment.

Deux jours plus tard, autour de la même table.

8. Mis au point par Stephan Karpmann.

– Et Pierre et Jacques, ils ne sont pas là, les as-tu prévenus ?

– Ben non ; je sais, j'ai accepté de le faire, mais que veux-tu, je suis débordé mon vieux, je n'ai pas eu le temps de souffler, alors les appels... »

Il s'agit là d'un jeu intitulé « Jambe de bois » (Comment voulez-vous qu'avec ma jambe de bois – tout le travail que j'ai à faire – je puisse être d'une quelconque utilité ?).

Au début du jeu, le groupe des responsables est Victime de la situation. Patrick apparaît alors comme leur Sauveteur (Je me charge des appels !). A la fin du jeu, il est devenu une Victime, persécutée par la demande « exagérée » du groupe.

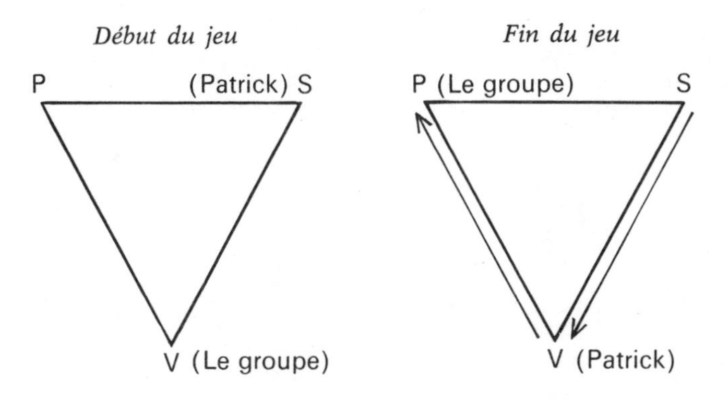

De même pour le jeu examiné dans le chapitre sur la structuration du temps : Le mari Victime de son travail demandait à son épouse de le sauver en lui permettant de travailler dans le calme. A la fin de la séquence, le Sauveteur est devenu Persécuteur en gênant son mari, ce qui a permis à celui-ci de prendre à son tour le rôle de Persécuteur de son épouse qui n'en pouvait mais (« Regarde ce que tu m'as fait faire ! »). L'exemple du « Oui... mais » illustre également cette dynamique. Ginette arrivant d'abord en

Sauveteur de Janine a abouti au rôle de Persécuteur (une de plus qui ne pouvait pas l'aider).

A partir de ce constat, on peut conclure que lorsqu'on ne souhaite pas entrer dans des jeux, il vaut mieux éviter de se poser en Victime passive, attendant des autres la prise en charge de ses besoins ou une réponse à ses problèmes. Il est préférable de ne pas commencer à persécuter ceux qui nous entourent. Et de plus, il n'est pas utile d'intervenir en Sauveteur. C'est-à-dire de nous mêler des problèmes des autres, si on ne nous l'a pas demandé, si on n'a pas les moyens et l'envie de le faire, si on s'apprête à faire plus de cinquante pour cent du travail.

6

L'INTERVENTION EN ANALYSE TRANSACTIONNELLE

Le chapitre sur le scénario mettait en évidence les lignes de force qui sous-tendent les différents plans de vie. Il s'agit là en quelque sorte d'une radiographie faisant apparaître le squelette, l'ossature des histoires que vivent les hommes. Si cette radiographie laisse voir d'éventuelles malformations ou déformations, et « accidents de parcours » à l'intérieur de cette histoire, elle ne permet pas pour autant d'en déduire la richesse ou l'intérêt. C'est la vie quotidienne qui vient mettre sa chair et son sang sur cette ossature. On peut avoir développé une musculature puissante sur un squelette déficient et être content de ce résultat. Dans la vie, comme au cinéma, à partir d'indications scéniques, la réalisation apporte la couleur, la musique, le mouvement au film pour lui donner toute sa personnalité originale. On peut aimer le film de sa vie, même s'il est plein de bruit et de fureur et le préférer à une œuvre banale et plate. On peut, au contraire, vivre une vie tranquille et sans histoire et ne pas vouloir l'abandonner pour une existence plus exaltante. Ce choix fondamental est laissé à chacun. Il n'y a pas de scénario, de forme de relations, ou de façon de vivre idéaux. Les normes imposées et les modèles à suivre n'interviennent pas dans le travail de l'analyste transactionnel. Que ce soit dans les organisations, dans les entreprises ou en thérapie, il est là pour aider ceux qui le lui demandent, à changer et à améliorer ce qu'ils souhaitent changer et améliorer. Il les accompagne dans leur parcours vers les objectifs qu'ils se sont eux-mêmes fixés, tant que ces objectifs ne s'opposent pas à sa propre déontologie. C'est-à-dire qu'il ne sera pas prêt à aider quelqu'un à se faire du mal ou à nuire à d'autres. En revanche, il sera prêt à l'aider soit à améliorer un comportement donné dans une situation donnée, soit à aller avec lui plus au fond des choses et à lui permettre de prendre de nouvelles décisions qui changeront toute l'orientation de son scénario, suivant ce que la personne souhaite. Le thérapeute ou l'intervenant et son client sont des partenaires à part entière du processus dans lequel ils s'engagent ensemble. L'A.T. est un instrument assez souple pour s'adapter à la seule amélioration du contrôle social ou à un changement radical et fondamental au niveau personnel.

Le contrat

Pour définir le plus clairement possible les bases sur lesquelles ce travail s'engage, l'analyste transactionnel et son client mettent au point ensemble un contrat, où sont nettement précisés le ou les objectifs à atteindre, les étapes pour y arriver, les signes indicateurs de l'évolution favorable du travail, les résultats concrets qui témoigneront que les objectifs sont atteints et le temps qu'on se donne pour le faire. Lorsque, comme cela se pratique le plus souvent, l'intervention se fait dans un groupe (de développement personnel, de thérapie, ou en entreprise...) il existe un contrat général entre le groupe et l'intervenant : ce que l'on fait ensemble, le temps qu'on va y consacrer, le coût que cela représente, les conditions d'arrêt et de poursuite du travail, etc., et un contrat individuel entre chacun des membres du groupe, l'intervenant et l'ensemble des participants.

Voici un exemple de contrat passé par un participant d'un groupe de développement personnel :

Objectif général :

Arriver à exprimer mes sentiments, être plus direct, plus chaleureux avec les autres et en particulier avec ma femme et mes enfants (= laisser mon Enfant Libre s'exprimer davantage).

Étapes pour y parvenir :

– Libérer une demi-journée par semaine pour me consacrer à moi-même, pour faire des choses (lire, aller au cinéma, me promener) dont j'ai envie depuis longtemps et que je ne trouve jamais le temps de faire.
– Parler à mon fils aîné qui traverse des moments difficiles et qui s'exprime surtout en s'opposant, sans me mettre dans mon Parent Normatif Négatif comme je le fais en ce moment.
– Me donner la permission d'exprimer au sein de ce groupe les sentiments que j'éprouve à l'égard des participants.

Résultats concrets à l'issue du contrat :

– L'atmosphère de ma famille aura changé, elle sera plus détendue, plus joyeuse qu'en ce moment.
– Les migraines que j'ai souvent en fin de journée se seront atténuées et seront plus rares.
– J'oserai dire à ma femme tout ce que j'éprouve vraiment à son égard, sans avoir peur de l'ennuyer.

Comment le groupe pourra constater mon évolution :

– Je me laisserai aller à librement exprimer mes émotions.
– Je ferai moins de discours pontifiants pour être plus direct et plus ouvert.

Durée du travail :

– Dix séances de trois heures chacune.

Comment je vais saboter mon travail

(Il est important que le participant puisse dire quels sont les freins qu'il risque de mettre lui-même à l'évolution qu'il souhaite, et qu'il prenne conscience de sa propre responsabilité dans le processus où il s'engage. En même temps cela permet de désamorcer dès le départ ses comportements bloquants habituels) :

– Surtout en n'ayant pas le temps, ... en trouvant mille choses plus urgentes à faire que de m'occuper de moi-même, de parler à mon fils, voire de venir au groupe. En ne trouvant jamais le bon moment pour communiquer avec ma femme.
– Également, dans le cadre du groupe, en me réfugiant dans le silence.

Le principe et le concept même du contrat sont très importants en A.T. L'établissement du contrat en lui-même constitue déjà un premier pas dans la démarche thérapeutique. Passé d'Adulte à Adulte entre l'intervenant et son client, il donne à celui-ci son autonomie et la pleine responsabilité de son évolution. Il évite qu'une relation symbiotique ne s'établisse entre eux ou avec le groupe, avec les comportements de passivité que cela entraîne (ne rien faire, attendre que le mieux intervienne par miracle, se décharger sur les autres de ses problèmes...). D'autre part, cela prévient des jeux ultérieurs qui pourraient s'instaurer entre les contractants : « Regarde ce que tu m'as fait faire ? », « J'essaie seulement de t'aider ! », « Je ne vous ai rien demandé ! », etc.

Engagé sur des bases saines et clairement définies, le travail peut se poursuivre avec une optimisation de ses chances de succès. Le thérapeute sait jusqu'où il peut aller trop loin et ce qu'attend exactement de lui et du groupe son client. Le client a précisé sa demande, il a des points de repère pour mesurer son évolution, il a pris conscience de l'étendue de sa part de travail dans le processus qu'il engage. Ayant déterminé la durée de son contrat, il n'investira pas plus d'énergie, de temps et d'argent qu'il ne l'a jugé nécessaire pour arriver au résultat souhaité. Il ne s'installe pas dans l'attente mythique d'un résultat aussi flou que merveilleux à l'échéance sans cesse repoussée. Branché sur son Adulte, le thérapeute (ou l'intervenant en entreprise) vérifie que les demandes formulées par le client sont en adéquation avec le temps, l'énergie et l'argent qu'il est prêt à y consacrer.

Au cours du travail, le contrat peut évoluer. Par exemple, une personne dont la demande première aura été : « Je souhaite ne plus avoir peur de défendre mes points de vue lorsque j'ai des discussions professionnelles ! » peut se rendre compte en cours de travail de son message contraignant « Ne réussis pas ! » et souhaiter prendre de nouvelles décisions à ce sujet. Il n'est pas enfermé dans son premier contrat. Il a la possibilité de reconsidérer, de changer ses objectifs en établissant un nouveau contrat, cela est fréquent puisque aussi bien le travail qu'il fait lui permet de mieux se connaître et de mieux connaître ses besoins.

Les techniques

Il est assez difficile de parler de techniques d'intervention spécifiques à l'A.T. Certes, il en existe un certain nombre, parmi lesquelles le « mini-scénario » négatif et positif qui a été abordé dans le chapitre précédent. D'autres techniques permettent de découvrir les options nouvelles qui nous sont offertes pour sortir d'un comportement de passivité, ou nous conduisent à changer nos relations avec quelqu'un en prenant conscience du type de transactions bloquées que nous pouvons avoir avec lui. Par exemple, quel que soit le sujet abordé, nous nous retrouvons entraînés dans des reproches mutuels. A partir de ce constat, mis au clair sur le schéma des transactions, le groupe propose de nombreuses autres voies d'approche, parmi lesquelles la personne peut choisir celle ou celles qu'elle testera à sa prochaine rencontre avec le partenaire concerné. Etc.

Mais plus encore qu'à des techniques, l'A.T. fait appel à des principes d'intervention directeurs dont s'inspire toute personne qui utilise cet instrument.

Le premier, nous l'avons vu, est la « responsabilisation » du client.

Pour que cette responsabilisation ne soit pas qu'un vœu pieux et qu'elle corresponde bien à l'expérience telle qu'elle est vécue par les participants l'intervenant dispose de plusieurs moyens. Le premier est le contrat, tel qu'il a été décrit plus haut. Deuxièmement, le thérapeute ou l'animateur livre le plus tôt possible sa panoplie d'instruments aux membres du groupe, il les incite à lire un ou deux ouvrages de base sur l'A.T. et n'hésite pas à apporter des éclaircissements théoriques sur ce qu'il fait lorsqu'on lui en demande. Il est prêt à rendre compte au groupe de l'utilité de telle ou telle démarche qu'il entreprend ou de l'une ou l'autre technique qu'il utilise. De même, il les invite à participer activement au travail qui s'effectue dans le groupe, même quand ils ne sont pas directement concernés. Ils proposent leur avis, émettent des suggestions, mettent en évidence tel jeu, tel type de transaction, telle contamination qu'ils auraient remarqués. Sauf à de brefs moments, où le thérapeute menant une phase de travail individuel souhaite que le groupe suspense ses interventions, un groupe d'A.T. apparaît comme un lieu de libre-échange où la prise de parole est permise et encouragée.

Le second principe qui découle du premier est le respect, au sens fort du terme, du client par le thérapeute ou l'intervenant. L'analyste transactionnel part du principe que les gens sont fondamentalement OK. Il ne cherche pas à leur mettre des étiquettes « psychiatrisantes », à dénicher la faille qu'ils ont en eux. Il s'attache surtout à voir ce qui ne va pas dans leurs relations et dans la façon dont ils les vivent. Même lorsqu'ils travaillent sur les décisions de l'Enfant, il les fait revivre en termes de rapports humains à l'intérieur de la famille. Concrètement, ce respect du client se traduit de deux façons : d'abord par une franchise envers lui. Il lui transmet toujours ce qu'il pense de lui et du problème posé. Les conclusions et impressions de l'intervenant ne sont pas cachées dans de secrets dossiers, mais sont directement communiquées au principal intéressé, en général dans le cadre du groupe. Il n'est pas rare de voir dans un groupe d'A.T., à l'issue d'une phase de travail importante pour quelqu'un, le meneur de jeu et le groupe discuter de ce qu'ils viennent de vivre et échanger leurs commentaires et leurs avis sur son « cas », le patient concerné intervient dans cet échange s'il le souhaite. Et bien entendu, s'il préfère ne pas avoir de commentaires, le groupe s'en abstient.

D'autre part, l'animateur veille à rétablir dans le groupe le flux d'échange de signes de reconnaissance positifs. Il ne s'agit pas d'un « Tout le monde il est beau, tout le monde il est gentil » caricatural, mais d'une vraie rencontre de l'autre, où chacun est reconnu pour sa richesse, ses capacités, son intérêt spécifique.

En dehors de ces deux principes de base de « responsabilisation » et de respect de chacun dans son individualité propre, l'intervention en A.T. commence en général par une accroche de l'Adulte et par son renforcement. On vise à la décontamination progressive de l'Adulte pour lui rendre le plein usage de ses facultés. Certes, le travail sur les sentiments, les angoisses, les peurs et les besoins de l'Enfant fait également partie de la démarche de l'A.T. Les moments d'intense émotion vécus par un participant et par l'ensemble du groupe ne sont pas rares au cours d'une séance de travail. Mais il ne s'agit pas de provoquer une décharge émotionnelle pour le simple plaisir de la décharge émotionnelle. Il s'agit de se donner les moyens de récupérer l'expérience vécue pour l'assumer et l'intégrer dans un processus d'évolution. Les valeurs du Parent Normatif et le soutien du Parent Nourricier interne aident à le faire avec la participation d'un Adulte décontaminé. L'A.T. fonctionne dans une dialectique de destructuration provisoire suivie d'une restructuration qui permettent le développement le plus harmonieux possible d'un individu à qui on donne, et qui prend, les moyens d'en être le maître d'œuvre.

Partant de ces principes de base, et utilisant les grilles de décodage de l'A.T., chaque intervenant, suivant son domaine d'intervention, les demandes de ses clients et les contrats qu'il établit avec eux et sa propre personnalité, utilise l'une, l'autre ou plusieurs des nombreuses techniques mises au point au cours des années par les analystes transactionnels. Quelques livres américains présentent d'ailleurs un panorama de ces techniques [1] et le *Transactional Analysis Journal* en propose régulièrement. Nombreux sont également ceux d'entre eux qui empruntent des techniques à d'autres formes de thérapie que l'A.T., en utilisant alors celle-ci comme un instrument de décodage et de struc-

1. Cf. Muriel James, techniques in T.A., Reading, Addison Wesley 1977.

turation du travail en groupe. Parmi ces techniques « importées », le travail de la chaise double emprunté à la gestalt-thérapie jouit d'une faveur toute particulière auprès des analystes transactionnels. Il s'agit, dans un dialogue à deux, trois, voire quatre personnes auxquelles le participant concerné prête sa voix, de faire revivre à celui-ci des situations, des scènes même très anciennes, avec des absents (souvent avec ses parents), telles qu'il les a vécues. Il peut ainsi réentendre les messages parentaux, les informations Adulte et surtout exprimer les sentiments qu'il prêtait à l'Enfant de ses parents ou d'autres personnes qui ont de l'importance pour lui. L'émergence de ce matériel lui permet de revivre ses propres sentiments, de dire ses vrais besoins et surtout de retrouver d'anciennes décisions de vie pour les changer s'il le souhaite.

Enfin, pour aider quelqu'un à connaître les tenants et les aboutissants de son scénario, il existe de nombreuses démarches. La plupart d'entre elles sont inspirées du questionnaire de scénario mis au point par Éric Berne [2]. Elles s'intéressent à l'histoire du client, au genre de personnes qu'étaient ses parents, sur le plan du caractère et sur le plan social, à leurs relations entre eux, à ce que l'un et l'autre lui disaient quand ils étaient contents de lui et quand ils étaient en colère contre lui, etc.

Les domaines d'intervention

La souplesse et l'universalité de l'A.T. lui permettent de s'adapter à de nombreuses situations, de nombreux domaines, divers cadres socioprofessionnels et de répondre à des demandes variées.

2. Cf. *Que dites-vous après avoir dit bonjour?*, Paris, Tchou, p. 354 et suivantes.

L'intervention dans les organisations et les entreprises : le contrôle social

L'application de l'A.T. à l'entreprise touche de nombreux secteurs d'activité; je passerai rapidement sur les problèmes de communication sur les produits, de marketing et de développement des entreprises où elle est utilisée, mais qui demanderaient de trop longs développements et une autre façon de considérer cet instrument que celle qui est abordée dans ce livre. En revanche, l'utilisation de l'A.T. dans le domaine des relations humaines, de la communication interne, de l'animation des hommes... est cousine germaine de celle qui est faite en développement personnel. Dans l'entreprise et dans les organisations en général, le travail se fait généralement au niveau des transactions, de la structuration du temps et des jeux en visant à améliorer et à changer ceux-ci et celle-là. Le système d'échange de signes de reconnaissance est également examiné et remis en cause si nécessaire. Cependant la plupart de ces interventions mettent en jeu seulement le Parent et l'Adulte ainsi que la partie positive de l'Enfant Libre. Il ne s'agit pas de changer les décisions de vie des participants ou de leur faire exprimer les angoisses et les craintes de leur Enfant dans des décharges émotionnelles fortes. Parce que ce n'est en général pas le contrat, ni la demande de l'entreprise et des participants. Les problèmes posés sont divers, mais ils concernent le plus souvent les relations à l'intérieur d'un service ou la communication entre les services d'une organisation ou des questions d'autorité et de commandement. Parfois, il s'agit d'aider les gens à mieux s'exprimer dans le cadre de leur entreprise ou à mieux utiliser leur potentiel ou bien d'améliorer la répartition des tâches. Parfois, on doit seulement former les gens à la pratique de l'Analyse Transactionnelle, les laissant libres de l'utiliser comme ils l'entendent. La variété des instruments et des grilles d'analyse de l'A.T. permet de choisir ceux qui sont les plus adaptés à ce travail d'amélioration des rapports sociaux sans entrer dans une remise en cause individuelle fondamentale qui n'est pas demandée. Ce qui n'empêche nullement chacun de tirer un bénéfice personnel de ce type de démarche. Un de mes domaines personnels d'intervention dans l'entreprise concerne tout ce qui touche aux problèmes d'innovation et de créativité. J'anime depuis de nombreuses années des actions de créativité dans l'entreprise. J'ai découvert avec l'A.T. un instrument précieux pour à la fois mieux comprendre et mieux guider le processus créatif. Je ne conçois plus de stages ou de séances de créativité sans une transmission préalable des bases de l'A.T. Cela permet à chaque participant de mieux appréhender le processus dans lequel il s'engage. Il a beaucoup moins de résistance à laisser son Enfant Libre et son Petit Professeur (le moteur de la créativité) s'exprimer lorsqu'il a compris que ni son Parent ni son Adulte ne disparaissent pour autant (« Si je me laisse aller je vais être ridicule et peut-être ne saurai-je pas m'arrêter! ») mais que leur suspension provisoire libère les facultés créatrices de son Enfant; l'Adulte intervient ensuite dans la phase d'évaluation des idées. Quant au Parent, il est utile de l'interroger pour connaître la force des résistances aux idées nouvelles, même si l'Adulte a reconnu que des idées du « petit génie » qui est en lui sont réalisables.

Le développement personnel et la thérapie : le changement individuel

Je ne reviendrai pas longuement sur ce domaine d'intervention qui est amplement illustré tout au long de ce livre. La frontière entre le développement personnel et la thérapie est relativement mince. Personnellement, et sous le seul angle de l'A.T., j'établirai la distinction suivante : dans le premier cas, il s'agit d'une transposition de ce que je viens de dire à propos de l'intervention en entreprise au niveau individuel. La personne dont la demande est formulée en termes de développement personnel souhaite accroître ses ressources intérieures, recevoir et se donner la permission d'exploiter toutes ses possibilités, mieux se connaître, en particulier en définissant mieux son scénario, améliorer ses relations avec telle ou telle personne de son entourage... Dans le second cas, la personne souffre d'un dysfonctionnement dommageable de sa structure interne. Son Adulte est très contaminé, ou elle active de façon quasi exclusive l'un ou l'autre de ses états du moi. Parfois, elle n'enregistre que des échecs dans sa vie. Parfois elle est très dépressive ou obéit à un comportement suicidaire. Elle expérimente de façon très intense et répétitive une position de vie négative. Elle joue à des jeux du deuxième ou du troisième degré, etc. Sur le plan tant individuel que social les choses vont mal pour elle. Il s'agit alors de la soigner pour qu'elle guérisse. C'est-à-dire qu'à ce moment-là une grande partie du travail se situe au niveau de son scénario pour l'amener à changer ses décisions archaïques et à redécider d'un nouveau plan de vie.

En France, l'Analyse Transactionnelle est surtout utilisée — en dehors de l'entreprise — dans des groupes privés thérapeutiques et de développement personnel. Elle commence également à être introduite dans certains milieux hospitaliers.

Aux États-Unis, elle est déjà très largement utilisée dans des institutions et elle est même employée avec succès pour soigner des personnes dites « psychotiques ». C'est Jacqui Schiff qui a été l'initiatrice de cette démarche. Elle va jusqu'à adopter légalement des adolescents et des adultes pour, dans un processus de régression, leur transmettre un nouveau Parent Normatif et Nourricier qui leur donne les permissions et les messages adéquats pour un nouveau départ dans l'existence. Pour elle, la plupart des problèmes de ces personnes viennent de leur Parent interne, qui est le Parent tel que l'ont intégré les enfants ; même s'il peut ne pas être objectivement perçu comme néfaste, son mode de fonctionnement — ou son absence de fonctionnement — à l'intérieur de la structure entraîne des conséquences tragiques pour la personne. C'est pourquoi elle entreprend de changer ce Parent avec d'ailleurs des résultats souvent remarquables, comme j'ai personnellement pu le constater.

Les trois P

Le thérapeute ou l'animateur qui s'est fixé comme but d'aider les autres a besoin de leur offrir Puissance, Permissions et Protection, les trois P, qui sont les alliés objectifs de toute démarche d'aide. Par la Puissance on entend la faculté d'un individu de s'affirmer comme une personnalité à part entière face au groupe. Pour cela il faut qu'il soit capable de reconnaître ses propres besoins, qu'il ait une claire perception de son système de valeurs personnel et qu'il ait un Adulte vigilant, capable de comprendre ce qui se passe dans le groupe et pour chacun des participants. Alors il ne se laisse pas facilement entraîner dans des jeux et il n'acceptera pas les invitations symbiotiques qu'il ne souhaite pas assumer. Les Permissions viennent du Parent Nourricier positif de l'intervenant, il donne à chacun, au moment adéquat, la permission dont il a besoin pour contrecarrer une injonction parentale négative. Son corollaire est la Protection que le thérapeute doit donner à ceux qui transgressent ainsi les injonctions parentales. Cela peut être très effrayant pour leur Enfant et ils ont besoin de sentir que la personne qui les aide à le faire est également là pour les protéger contre les « retours de bâton » de leur Parent et qu'ils peuvent sans trop de craintes aller de l'avant.

Le tableau que j'ai brossé dans ces pages de l'A.T. pourra paraître à certains un peu idyllique, voire naïf. Peut-être ; il n'est que le reflet d'une expérience vieille de quatre ans, presque quotidiennement vécue et qui, jusqu'à aujourd'hui, n'a fait que me confirmer dans l'intérêt d'abord modéré puis, de plus en plus convaincu que j'ai porté à l'A.T. Fanita English a écrit récemment : « Les données de base de l'A.T. peuvent se retrouver chez plusieurs auteurs (comme Freud bien sûr, Sullivan, Erikson, Federm, Melanie Klein, Adler et Piaget). Mais la combinaison particulière de théorie et de pratique, l'organisation de théories compliquées provenant d'une multitude d'auteurs qui fait du cas de chaque patient quelque chose de clairement explicable pour lui-même de telle sorte qu'il puisse devenir un agent actif de son propre changement, c'est cela l'apport essentiel de Berne! »

Bien entendu, je souscris entièrement à cette analyse. Je dois personnellement à Éric Berne quelque chose de plus qui en découle d'ailleurs directement. Dans mon expérience professionnelle de ces dernières années, j'ai eu l'occasion de parler de l'A.T. et de la mettre en pratique très souvent et devant des publics très différents. Bien sûr, j'ai observé des résistances, entendu des critiques, voire assisté à quelques rejets définitifs. Mais ces résistances, critiques et rejets ne sont jamais venus d'un milieu particulier, n'étaient liés ni à une catégorie socioprofessionnelle ni à un niveau intellectuel ou culturel. Des ouvriers, et des mères de famille, des cadres supérieurs et des étudiants, des adolescents et des personnes d'âge mûr, des psychologues, des sociologues, des contremaîtres, des fonctionnaires et des publicitaires s'y sont intéressés ou ont suivi avec passion des séminaires, les recherches des groupes thérapeutiques d'A.T., l'ont adoptée dans leur pratique professionnelle ou pour comprendre leurs relations familiales et sociales ou pour prendre des décisions de changement sur l'orientation de leur vie.

C'est de cela aussi que je sais gré à Éric Berne, d'avoir mis à ma disposition un instrument qui trouve un si large écho auprès de tant de gens si différents. J'ai personnellement beaucoup plus de plaisir à diffuser une technique qui séduit et qui plaît, à convaincre les gens et à coopérer avec eux qu'à essuyer des rebuffades, à rencontrer des publics hostiles, à me battre pied à pied pour imposer mes vues. Et je dois reconnaître que l'Analyse Transactionnelle m'a rarement contrainte à ce genre de combat, me permettant d'utiliser mon énergie à des entreprises plus constructives.

BIBLIOGRAPHIE SÉLECTIVE D'ANALYSE TRANSACTIONNELLE

Ouvrages d'Éric Berne

Psychiatrie et psychanalyse à la portée de tous, *Paris, Stock, 1975.*

Analyse Transactionnelle et psychothérapie, *Paris, Payot, 1971.*

Des jeux et des hommes, *Paris, Stock, 1966.*

Que dites-vous après avoir dit bonjour ?, *Paris, Tchou, 1977.*

Principles of Group Treatment, *New York, Oxford University Press, 1964.*

The Structure and Dynamics of Organisations and Groups, *New York, Grove Press, 1966.*

Sex in Human Loving, *New York, Simon & Schuster, 1971 ; London, Penguin Books, 1973.*

Intuition and Ego states : the origines of T.A., *San Francisco, T.A. Press, 1977.*

Beyond Games and Scripts, Major Writings of E. Berne *(Ed. Cl. Steiner), New York, Grove Press, 1977.*

Livres parus en français

HARRIS Thomas H., D'accord avec soi et avec les autres, *Paris, EPI, 1973.*

JAMES Muriel et JONGEWARD Dorothy, Naître gagnant, *Paris, Inter-éditions, 1978.*

DUSAY John et STEINER Claude, L'Analyse Transactionnelle, *Paris, Éd. Universitaires, 1976.*

Autres titres

DÉVELOPPEMENTS THÉORIQUES

ENGLISH Fanita, Selected Articles Philadelphia, *Eastern Institute for T.A. and Gestalt, 1976*

BARNES Graham editor, Transactional Analysis after Eric Berne, *New York, Harper's College Press, 1977.*

DUSAY John, Egograms, *New York, Harper & Row, 1977.*

WOOLLAMS Stanley, Transactional Analysis in Brief, *Ann Arbor Huron Valley Institute, 1977.*

THÉRAPIE

SCHIFF Jacqui Lee, All my children, *New York, Pyramid Book, 1972.*

SCHIFF Jacqui Lee, The Cathexis-Reader, *New York, Harper & Row, 1975.*

STEINER Claude, Games Alcoholics Play, *New York, Grove Press, 1974.*

STEINER Claude, Scripts People Live, *New York, Grove Press, 1974.*

ENTREPRISES

NOVEY Theodore, Making life work, *Sacramento, Jalmar Press, 1973.*

ALBANO Charles, T.A. on the Job, *New York, Harper & Row, 1976.*

JONGEWARD Dorothy, Everybody wins, *Reading, Addison-Wesley, 1973.*

MORRISON James & O'HEARNE John, Practical Transactional Analysis in Management, *Reading, Addison-Wesley, 1973.*

JAMES Muriel, The OK Boss, *Reading, Addison-Wesley, 1975.*

Exercices et techniques d'A.T.

JAMES Muriel & JONGEWARD Dorothy, Winning with people, *Reading, Addison-Wesley, 1974.*

JAMES Muriel, Techniques in T.A., *Reading, Addison-Wesley, 1977.*

JAMES Muriel & SAVARY Louis, A New Self, *Reading, Addison-Wesley, 1977.*

Éducation

FREED Alvyn, T.A. for tots and grown ups too, *Sacramento, Jalmar Press, 1971.*

FREED Alvyn, T.A. for kids and other prinzes, *Sacramento, Jalmar Press, 1971.*

FREED Alvyn, T.A. for teens and other important people, *Sacramento, Jalmar Press, 1976.*

BABCOCK Dorothy & KEEPERS Temy, Raising Kids OK, *New York, Grove Press, 1976.*

Femmes

JONGEWARD Dorothy & SCOTT Dru, Women as winners, *Reading, Addison-Wesley, 1973.*

Religion

JAMES Muriel, Born to love : Transactional Analysis in Church, *Reading, Addison-Wesley, 1976.*

TABLE DES MATIÈRES

Aubin Imprimeur
LIGUGÉ, POITIERS

Achevé d'imprimer en mai 1987
Nº d'édition 30579 / Nº d'impression L 24530
Dépôt légal, mars 1986
Imprimé en France